BAR
DON JUAN

ANTONIO CALLADO

BAR DON JUAN

3ª edição

JOSÉ OLYMPIO
EDITORA
Rio de Janeiro, 2014

© Teresa Carla Watson Callado e Paulo Crisostomo Watson Callado

Reservam-se os direitos desta edição à
EDITORA JOSÉ OLYMPIO LTDA.
Rua Argentina, 171 – 3º andar – São Cristóvão
20921-380 – Rio de Janeiro, RJ – República Federativa do Brasil
Tel.: (21) 2585-2060
Printed in Brazil / Impresso no Brasil

Atendimento direto ao leitor:
mdireto@record.com.br
Tel.: (21) 2585-2002

ISBN 978-85-03-01208-9

Capa: Carolina Vaz

Livro revisado segundo o novo Acordo Ortográfico da Língua Portuguesa.

CIP-BRASIL. CATALOGAÇÃO NA PUBLICAÇÃO
SINDICATO NACIONAL DOS EDITORES DE LIVROS, RJ

C16b 3ª ed.	Callado, Antonio, 1917-1997 Bar Don Juan / Antonio Callado. – 3ª ed. – Rio de Janeiro: José Olympio, 2014. 320 p. ; 21 cm. ISBN 978-85-03-01208-9 1. Romance brasileiro. I. Título.
14-09553	CDD: 869.93 CDU: 821.134.3(81)-3

Para Branca e
Márcio Mello Franco Alves.

PARTE I

*"When the historical process breaks down...
when necessity is associated with horror and freedom
with boredom, then it looks good to the bar business."*

W. H. Auden, *The Age of Anxiety*

("Quando o processo histórico se interrompe...
quando a necessidade se associa ao horror e a
liberdade ao tédio, a hora é boa para se abrir um bar.")

1

João e Laurinha só tinham falado uma vez no assunto. E nunca mais. Mas tinham falado durante longo tempo. Já muito batido e meio abobado ele não retivera as feições do policial que ao soltar Laurinha do pau de arara a possuíra no chão. Não retivera as feições de nenhum deles mas precisava da cara daquele. Embora não gostasse de relembrar, João tinha um medo pânico de esquecer. Os próprios torturados, ao cabo de certo tempo, tendem a achar que estão exagerando. Ou colocam-se num plano superior, silencioso e desdenhoso, pois o que não é possível é ter vivido tamanho horror e esbarrar, ao contá-lo, na polida incredulidade de alguém.

— Por favor, meu bem — disse Laurinha —, você não vê que eu não quero me lembrar, que eu já esqueci?

— Foi o mesmo que me interrogou e depois interrogou você? Foi aquele mesmo?

— Não. Foi o que me despiu.

— Isto eu não vi. Já te vi nua, pendurada no pau de arara.

— Você estava desacordado, acho. Cara contra a parede.

A ligação entre torturador e torturado é ao mesmo tempo totalmente violenta e totalmente impessoal, pensou João, mas no caso de Laurinha, não, não foi. O sujeito tinha ido além das suas ordens. Passado para o pessoal.

— Mas como era ele? Como é que a gente poderia reconhecê-lo?

— Para quê, meu anjo? Eu nunca mais quero vê-lo e se o vir não quero reconhecê-lo.

— Mas diga, diga.

— Baixo. Atarracado. Moreno amulatado, de cabelo liso. Espera! Os outros chamavam ele de Salvador.

Conversavam no apartamento, de volta da Polícia, Laurinha com o anular direito no gesso. Torcera o dedo quando se apoiava no chão, ao ser arriada do pau de arara.

— Minha descida da cruz.

Laurinha tinha dito isto com um sorriso de lábios brancos, na esperança de ver João no seu normal, e João foi de fato até ela e beijou primeiro a mão do dedo engessado e depois a boca de Laurinha. Seu amor não tinha sido afetado em nada, ao contrário, mas era preciso reter aquela cara, fixá-la, não deixar que se perdesse. Começa que já era difícil relembrar a tortura ali, Laurinha sentada na poltrona vermelha, ele no seu canto de sempre, na poltrona verde, atrás da qual havia o abajur de pé, que parecia, por cima do seu ombro, ler com ele os livros que ele lia. A estereofônica japonesa, portátil, em forma de maleta, dava sinais de ceticismo: colocados sobre a estante dos dicionários, seus dois amplificadores convidavam João a ouvir música e a deixar Laurinha em paz. No entanto os móveis, a vitrola, os livros tinham visto a Polícia chegar às 4 da madrugada, quinze dias atrás. Era a primeira vez que o prendiam na companhia de Laurinha mas sozinho fora preso antes duas vezes, o que não lhe impedira de sentir de novo, preso com ela, a mesma áspera alegria das ocasiões anteriores, a alegria de ser posto à prova. Não ia falar, não ia dizer nada, continuariam sem confirmação seus contatos com os cubanos. Quase apostava, enquanto os tiras revolviam papéis, olhavam atrás dos quadros e recolhiam livros para levar, que Laurinha se sentia exaltada. Com uma pontinha de medo talvez, mas feliz. Ela ouvira tanto falar nas prisões dos outros e agora chegava a sua vez de experimentar, de enfrentar os interrogatórios, de contar depois como enganara os inquisidores, e que estúpidos eles eram. Num tintureiro que transportava outros presos tinham chegado à Polícia Central. O elevador antiquado levou-os ao terceiro andar. Saíram na varanda circular que envolve o pátio e que dá ao prédio um ambiente curiosamente pacato e um tanto colonial. Laurinha sem dúvida lhe contaria depois como se sentira em cada estágio dessa aventura esperada há algum tempo. Eram suas bodas com a revolução. Sim. João chegara a isto. Entrando na Polícia com Laurinha tinha formulado essa imagem meio tola, que tomaria forma tão insólita. Bodas de Laurinha com a revolução.

— Curioso — disse João —, o nome que ficou na minha memória foi Álvaro, talvez Álvares.

— Não — disse Laurinha —, esse que... que me tirou do pau de arara era chamado de Salvador.

A primeira porta do terceiro andar se abrira de chofre para uma sala que lembrava um açougue e lembrava uma enfermaria, com gente sangrando e gemendo pelos cantos. João ainda pensou durante um momento que se tratava de pura encenação, de um truque para intimidá-lo, mas foi derrubado aos socos e empurrões. Não havia, como das outras vezes, a cerimônia da identificação, com as impressões digitais, as perguntas. Tiravam-lhe a roupa, despiam Laurinha também, e quando lhe deram o primeiro choque elétrico na glande e no ânus João só pensava no que estaria Laurinha pensando. Diante do que ela sempre ouvira contar aquela recepção era como um gracejo do mais inopinado mau gosto. Tinha tido vontade de gritar a Laurinha que jamais fora assim, antes, que não era invenção o que lhe contara, o que contavam Murta, Mansinho, os outros companheiros. Perguntaram-lhe de novo acerca dos cubanos, mencionaram o nome de Maldonado e de Eustáquio, mas não esperavam as respostas. João estava sendo nitidamente castigado. Iam talvez matá-lo? Ou era apenas para curá-lo definitivamente da revolução? João fechou os olhos e esqueceu Laurinha para não perder a coragem de dizer que não, que não conhecia, que não sabia de nada, mas será que eles estavam de fato interessados? Quando levou o pontapé no estômago e vomitou, foi chamado de porco, meteram-lhe a cabeça num balde para que vomitasse dentro. Depois o despertaram atirando-lhe água fria e a primeira coisa que sentiu foi a dor na raiz dos cabelos puxados com brutalidade para que voltasse a cabeça e visse o que queriam que visse: Laurinha nua no chão e...

— Tinha algum sinal? Salvador?
— Não.
— Nenhuma cicatriz, um traço fora do comum?

João sentia que falava feito um policial, ou como se comparasse a cara de alguém com uma descrição de passaporte, mas precisava continuar, normalizar o que acontecera aquela madrugada na rua da Relação. Sempre entendera que torturas são aplicadas em nome de ferozes convicções. O Brasil iria partir das torturas para extrair delas as convicções que não possuía? A teoria do monstro era tranquilizadora.

— Alguma característica especial ele tinha, não?

— Sobrancelhas muito espessas — disse Laurinha —, grossas, ligadas entre os olhos.

— Só isto? Mais nada?

— Salvador! Salvador! É o nome dele, pronto. Chega, João.

Laurinha exasperada tinha pegado um lápis que havia na estante ao alcance de sua mão e começara a rabiscar o gesso do dedo. Insensivelmente, depois de responder a João, traçara um S no gesso e logo a seguir se levantou nervosa para ir lavar o gesso com sabão. E se aquilo virasse mania com João, se ele fosse perguntar a vida inteira a mesma coisa? Ou se quisesse saber dela o que é que sentira ao ser violada na Polícia? Mas não. Aquela vez tinha sido a única. João voltara às suas atividades, a trabalhar no livro, a tratá-la com o mesmo carinho de antes. Ou pelo menos com um carinho mais grave, mais profundo. Laurinha só não sabia por que ele cuidara prontamente de raspar a barba e o bigode e de aparar rente o cabelo. É que João tinha passado a cercar a Polícia Central, em busca de Salvador. Um risco estúpido que corria, uma brasileirada, mas indispensável para restabelecer a harmonia rompida. Vestido de paletó e gravata, pasta de couro na mão, achava que podia passar despercebido e almoçou dois dias seguidos no Marialva, bem na esquina da Polícia. Viu, no meio dos fregueses evidentemente policiais, uns três que poderiam ser Salvador, troncudos, de baixa estatura. De perfil, um deles, debruçado sobre uma galinha ao molho pardo, parecia ter sobrancelhas espessas, mas não eram tanto assim. Laurinha tinha dito muito espessas, bem ligadas entre os olhos. Do Marialva João viu que os tiras iam em geral tomar o cafezinho no Atlas, botequim da rua dos Inválidos, diante do portão da Polícia. E muitos comiam ali também, na base do ovo duro e do sanduíche de pernil com uma cerveja, sentados nas cadeiras azuis do bar, de armação metálica. Tomando seu primeiro cafezinho no Atlas, João não viu ninguém que pudesse ser Salvador. Voltou na manhã do dia seguinte, para uma média com pão torrado, e deixou-se ficar um tempo à mesa, fazendo contas como um cobrador que descansa entre duas cobranças. Usou o telefone público para discar o número do Don Juan e pedir ao Aniceto que, se entrasse de folga no bar, ou fosse ficar afastado dali por alguma razão, o avisasse antes, pois tinha um favor importante a lhe pedir. Voltou à mesa e, como quem faz cálculos de cabeça, deixou vagar os olhos pelo mural do botequim, um grande lago enluarado, bordado de salgueiros, com um misterioso castelo à direita e dois cisnes se beijando entre nenúfares. Quando voltou às 5 horas da tarde e tomava seu cafezinho observando que elefantes arrematavam a tampa da grande máquina de fazer café, foi recompensado com a entrada de Salvador. Ao vê-lo chegar, João o reconheceu antes mesmo de notar as sobrancelhas em linha reta, inteiriças de têmpora a têmpora como um longo bigode que houvesse se deslocado de baixo do nariz para cima dos olhos. João o teria identificado de estalo, sem necessidade de atormentar Laurinha com seus interrogatórios. Tamanha certeza até que o deixou inquieto. Seria ele igualmente reconhecível por parte de Salvador? Não parecia ser o caso. De qualquer forma João não conseguiria arredar pé do Bar Atlas depois de reconhecer Salvador, que soprava o café na xicrinha antes de prová-lo com a colher para ver se estava bom de açúcar. Até que as mãos de Salvador, sem serem exatamente finas, não eram mãos retacas e grosseiras. Mas tinha a fronte baixa, simiesca, observou João corrigindo uma impressão inicial: era mais como se as sobrancelhas tivessem sido destacadas do cabelo, que começava pouco acima delas, que da região do bigode. E nada mais tinha de extraordinário, de fato, no rosto comum, entre o moreno e o mulato.

— Como é que está aí a conta, Mané?

— Pouca coisa, seu Salvador — disse o botequineiro —, não passa dos setenta contos.

— Poxa, tanto assim? Mete aí mais um maço de Continental e caixa de fósforo. Dia 2 eu ponho a nota em dia. Hoje tenho umas comprinhas a fazer.

Salvador saiu pela rua dos Inválidos e, ao passar pela porta da Polícia, cumprimentou vários dos companheiros. Foi andando rápido, as pernas, embora curtas, carregando-o com um passo elástico. João mantinha uma boa distância de Salvador e hesitou um instante, quando o viu parar à porta de uma loja para conversar com alguém sentado numa cadeira de braços, um negro, foi sua impressão. Achou que não devia despertar suspeitas, detendo-se, e continuou, ultrapassando Salvador. O negro na cadeira era uma estátua de preto velho, cachimbo na boca. Ao seu lado, em outra cadeira, a estátua de uma negra baiana de carapinha branca e bata de renda. Salvador falava com o dono da loja — Casa

Saravá —, que se postava por trás do preto velho. Como Salvador entrasse, João foi em frente e parou à porta da Casa Barata, também de candomblé, e da calçada fingiu examinar com interesse estatuetas de S. Cosme e S. Damião e o *Livro de S. Cipriano*, até sair Salvador, rumo à praça Tiradentes, onde, sem afrouxar o passo, cumprimentou com um gesto de mão dois guardas à porta do Departamento de Trânsito. Desceu a praça, tomou a calçada do João Caetano. Na rua do Teatro, entrou na Casa Guará, que vende bichos. Entrou tão decidido que João, que o seguia de perto para não perdê-lo na multidão, quase passou ao largo da loja, pensando em aguardar Salvador diante de um armarinho com tecidos esparramados até metade da calçada. Mas tinha tantos fregueses a Guará, espremidos entre as pequenas jaulas, as gaiolas, os balcões atochados de sacos e caixas de farelos e rações que João não viu inconveniente em entrar também. Comprida e cavernosa, a loja reboava com o ladrar de filhotes de *bassets*, lulus e policiais, com o grasnido de patos, o canto de canários e melros, e recendia, do teto ao ladrilho do chão, inhaca de pelo, catinga de pena e fedor forte e são de combinadas titicas. Enfiando dedos entre as grades Salvador provocou um pequeno policial a mordê-los e o cão não se fez de rogado, rosnando e deitando-se na palha, patas no ar. Encostou a cara num gaiolão de canários, meteu a mão num engradado de coelhos — tirando da boca de um a folha de couve que deu a outro coelho do compartimento ao lado — e finalmente se pôs a estudar com grande atenção gaiolas e arapucas. Com uma voz neutra e meio surda, que para os ouvidos de João soava nítida mesmo entre os pios e gritos da bicharada, Salvador discutiu preços, até arranjar um abatimento de vinte centavos numa arapuca de metal, feita em Ubá, que lhe ficou no fim por quatro cruzeiros novos exatos e que o vendedor embrulhou em papel pardo. De novo a caminho Salvador, numa oficina da rua Regente Feijó, apanhou, depois de comprovar a prova do remendo num tanque cheio de água, uma câmara de ar de bicicleta que deixara para recauchutar. De arapuca e câmara de ar embaixo do braço, Salvador foi à avenida Presidente Vargas tomar o ônibus que o levou, e levou João também, ao largo do Estácio e no Estácio a um botequim. O taverneiro português, de camisa de meia, parou de lavar copos, enxugou a mão no pano de secar a louça e se apresentou pressuroso:

— Que vai ser? Um trago de pitu, seu Salvador?
— Batidinha de maracujá.

Para ganhar tempo e não abandonar o rastro, João, ao lado de Salvador no botequim, quase a tocá-lo e começando a perceber até um certo odor de Salvador, comprou um maço de cigarros ao rapazola que cuidava da tabacaria, enquanto Salvador virava a batida, deixando no cálice um resto, que entornou no pó de serragem que cobria o assoalho.

— Para o santo — disse.

Salvador fitou um instante, no chão, a pequena poça de batida que a serragem absorvia e depois fez um aceno ao taverneiro:

— Tchau!

Atravessou a rua noturna, aproveitando a luz vermelha que retinha o tráfego na esquina de Paulo de Frontin. Na calçada oposta, tirou do bolso a chave, presa no chaveiro a um canivete, e entrou na portaria de um pequeno edifício de apartamentos da rua Zamenhof. João hesitou, tratando de resolver rápido qual a melhor maneira de descobrir em que apartamento morava Salvador sem diretamente segui-lo pelas escadas e corredores ou pelo elevador, se houvesse, mas nada disto foi necessário pois Salvador já enfiava a chave no primeiro apartamento à direita, 101, rés do chão. Antes de Salvador fechar a porta atrás de si João ouviu uma animada voz de menino, que dizia estridente alguma coisa sobre uma bicicleta e um sanhaço, e uma voz de mulher. João atravessou a rua e, do outro lado, observou a sala acesa, Salvador que tirava o paletó e desprendia do peito a correia que lhe segurava o revólver debaixo do braço esquerdo. Até de um carro a pouca velocidade um homem com a pontaria de Aniceto podia fácil e limpamente fazer o serviço. Só que tinha de ser hoje, agora, antes que o monstro que torturava mulheres e se cevava nelas ficasse de todo incompreensível.

Mansinho acordou logo que o dia clareou um pouco, pelas frinchas da veneziana, mas não o bastante para lhe dizer onde estava dormindo. Estendeu o braço no escuro, devagar, e sua mão pousou num seio nu. Ainda bem. Deixou ficar a mão, imóvel, o bico do peito no centro da palma, os dedos pousados na esfera macia. Menor que o seio de Dorinha, que tinha afagado no Bar Don Juan, maior do que o da sueca. A mão de Mansinho deslizou pelo vale, já bastante certa que se tratava de terreno conhecido, e foi desaninhar do braço direito da mulher adormecida o outro peito. Empurrou o lençol com o pé, de mau humor. Era Mariana! Mais uma vez tinha sido apanhado distraído, de porre, e levado para o apartamento dela. Provavelmente Mariana tinha sido castigada, pois Mansinho não se lembrava de ter trepado ninguém. Mas passando a mão pela entreperna sentiu a grossa umidade. Que mulher insistente. Mansinho se viu num contexto de dramalhão, levantando-se da cama, a nudez oculta pelo lençol, escancarando a janela para bradar patético a Mariana: "Abusaste de mim!" Em lugar disto foi à geladeira beber água, pé ante pé, e depois ao banheiro. Sua vontade era sair antes que Mariana despertasse, mas se o resto do apartamento estava claro, o quarto de dormir era uma densa penumbra e suas roupas deviam andar espalhadas pelas cadeiras, pelo chão, sabia lá. Em primeiro lugar queria sair porque queria, porque não tinha mais nada a dizer a Mariana. Em segundo lugar porque prometera levar seu irmão caçula a visitar a princesa em sua torre. Tinha de ser antes do almoço, antes de Jacinto ir para a aula no Museu de Arte Moderna. Mansinho teve sorte. Encontrou toda a roupa amontoada no tapete, ao pé da cama. Carregou a trouxa e os sapatos para a sala, vestiu-se rápido e se mandou pelo corredor. Não fosse o tamborete fora do lugar, em que ele tropeçou, teria feito uma obra-prima de retirada. De qualquer forma já tinha aberto a porta do apartamento quando ouviu a voz agoniada de Mariana:

— Você já vai, meu bem?

— Te telefono — disse Mansinho saindo.

— Vem ao menos me dar um bei...

A porta que ele bateu esmigalhou o beijo de Mariana. Mansinho desceu rápido um lance de escada para tomar o elevador no andar de baixo, para não dar a Mariana tempo de enfiar algum roupão e vir à porta. Diante do edifício estava seu volkswagen e Mansinho se encaminhou para ele — mas as chaves não as encontrou no bolso. Merda. Provavelmente Mariana teria deixado o carrinho dela no Don Juan e trazido o dele, bêbedo demais para dirigir. A intenção dela, como sempre, tinha sido a melhor possível. Ele teria seu carro no dia seguinte e ela teria de ir buscar o seu mais tarde, ou contaria com ele para deixá-la na porta do Don Juan. Agora, ficavam os dois a pé, porque ele não voltava ao apartamento para buscar as chaves nem à mão de Deus Padre. Pedia a Jacinto que pegasse o carro com Mariana, depois. Tinha pressa de chegar em casa e de terminar, ao vivo, a história que inventara para o irmão pintor. Podia ser morto a qualquer momento, ou ter de viver longe de Jacinto para o resto da vida, em algum exílio. Depois de visitarem a princesa em sua torre, almoçariam no Mercado, mexilhões e um vinhozinho branco do Rio Grande.

Em sua casa da rua do Bispo, Mansinho só encontrou de pé o pai, de pijama na sala, estudando com uma lente um mapa imenso que acabara de conseguir, do extremo Norte do País.

— Oi, pai.

— Bom dia, meu filho.

— Mamãe e Jacinto ainda não levantaram não, não é?

O velho Frederico fez que não com a cabeça. Mansinho segurou seu ombro:

— Você madrugou para um mergulho no Amazonas, hem!

— Colecionei mais duas frases sensacionais, Mansinho, e que se completam, veja bem, se completam. A primeira é do Avé-Lallemant: "A gente se pergunta se o próprio mar não deve sua existência a esse rio." Bonito! Bonito! Sente-se a massa d'água que ruge, dando de beber ao mar.

— Lindo — disse Mansinho preparando-se para subir a escada e pegar meia hora de berço antes de sair.

— A do Agassiz então é poesia, meu filho, pura poesia: "É antes um oceano de água doce, cortado e dividido pela terra." O oceano amazônico e seu continente em torno.

Mansinho acordou com o sol alto no céu, Jacinto pronto, dentro do seu quarto, blusão branco imaculado, carregando um cartaz em que se via, no alto de uma torre de prospecção de petróleo, um jato preto formando nos ares uma negra princesa cuja carapinha se abria no céu azul em forma de cogumelo atômico. Jacinto ficou meio decepcionado quando, na praça Pio X, Mansinho apontou o edifício do Banco Boavista:

— A torre — disse Mansinho.

— Ué! E a princesa?

Entraram no banco, Mansinho olhando atento os tabiques de vidro onde os caixas trocavam cheques por dinheiro, a disposição das mesas, os guardas armados, a circulação do imenso andar térreo. Um elevador estava parado, o cabineiro esperando passageiros. Entraram e quando a porta abriu no quinto andar um funcionário uniformizado se levantou da mesa:

— Dá licença — disse Mansinho —, viemos ver o quadro.

Jacinto se adiantara, sem nada dizer, olhos arregalados para a grande tela flamejante de sol que refulgia nas alabardas e no cálice da consagração que o frade erguia nos ares, mergulhara na ordem alarmante que reinava por um fio entre flechas, arcabuzes, capacetes: no instante seguinte, as alabardas iam furar a pele do céu e o sangue jorraria no cálice antes de escorrer pelas mangas do padre, pelo altar, pela floresta. Aquela primeira missa rezada no Brasil era também a última.

Os dois irmãos saíram em silêncio, atravessaram a rua até a igreja da Candelária, e dali, olhando o banco, Mansinho disse a Jacinto aturdido:

— Viu? A tua princesa. Sequestrada no quinto andar de uma casa bancária como se fosse uma barra de ouro ou um saco de dólares.

Foi com certo medo e muito orgulho que Jacinto viu a expressão de Mansinho, que olhava o banco como um terrorista árabe olhando uma sinagoga.

Mesmo em noite de pouca luz Laurinha, quando João chegava tarde, podia ficar horas contemplando, da janela do apartamento em que moravam, o jardim do alemão. Sabia quase quantas jacas ainda verdoengas havia na jaqueira e quantos maracujás na trepadeira que se enroscava na pérgula de bambus. A qualquer hora divisava, de tanto que as conhecia, as orquídeas amarradas com arame no abacateiro e o gravatá da mangueira. Mesmo porque, pequenos focos de luz ficavam acesos à noite nas rochas claras de musgo e verdes de samambaia e a piscina no centro do parque conservava sempre um baço reflexo de espelho na escuridão. Laurinha sentia na água parada, com sua coroa de sapos coaxantes, a tensa expectativa da manhã, quando seria rompida e fustigada pelos corpos bronzeados de Hilda e Karl, filhos de Ingeborg e Hermann, de Ludwig e Clarinha, filhos de Carla e Wolfgang, Amelinha e João, filhos de Juvenal e de

Lotte. Estava Laurinha perdida em sua contemplação quando ouviu um divino cântico de pássaro. Mas não subia do jardim, vinha de trás dela. Ali estava o Murta, encabulado, apontando o gravador que tinha na mão.

— Ah, seu patife, era você? — disse Laurinha.

— Era o rouxinol.

— Francamente, Murta, me fazendo de pateta. Bem feito para eu não deixar a porta aberta. Fiquei quase em êxtase.

— O êxtase está correto. Em êxtase ficava Isolda quando o caçador Tristão a acordava imitando o canto do rouxinol e lhe mandava pétalas de flor pelo riacho que passava por dentro da câmara em que dormia a Rainha. O rouxinol é verdade, está gravado aqui. Isolda é verdade. A história se repete, agora que estamos todos vivos de novo.

— Tristão é um vigarista.

— É a única falha do esquema divino — disse o Murta abaixando a cabeça. — Tristão se fabrica ainda, para retornar ao molde. Tenha um pouco de paciência, Laurinha.

— Você quer continuar bebendo uísque, não quer?

— Se você acha que o caçador merece o espírito da cevada, pelas suas penas de amor. E não será apenas mais um uísque porque a bebida que vem das tuas mãos é sempre outra.

— Das minhas mãos, nada. A garrafa está no aparador. O caçador tira o gelo.

Murta foi à copa tirar gelo. Laurinha continuava debruçada à janela quando ele voltou.

— Você quer?

Laurinha fez que não com a cabeça e ele se aproximou. Ficou ao seu lado, diante do jardim escuro.

— Quer que eu ligue o rouxinol?

— Não — disse Laurinha —, olha a água dormindo e fica quieto.

Murta meteu os dedos no copo, tirou uma pedra de gelo, recuou e arremessou com força. Laurinha estremeceu quando viu a água rompida. O cão de guarda latiu no seu canto de varanda.

— Seu chato — disse Laurinha —, acordou meu lago.

— São os primeiros gelos que chegam ao país de Tintagel. Pode deixar que eu atendo. Alô, João.

— Como é que você sabia que era eu?

— Ó Rei Marcos, rei burro, quem havia de telefonar para Isolda a estas horas? Precisarei dizer a Vossa Majestade que aqui fala Tristão de Leonis?

— O que é que vocês estão fazendo?

— Nada do que você devia temer, nada do que eu devia ousar. Estou tomando uísque, só que com gelo importado da Irlanda do Morholt. Laurinha continua à janela, contemplando a neve que transforma em paineiras os carvalhos de Perceval.

Eu queria estar aqui, pensou Laurinha, quando a grama negra ficar verde, o bosque negro ficar amarelo de barba-de-velho e roxo de buganvília. Pé de criança no sereno da grama. O velho toma café na varanda. Desdobra o guardanapo e quase nunca desdobra o jornal, olhando as crianças. Eu queria ver aquele primeiro raio de sol que entra na piscina dando um beijo nela como João fazia de manhã, antes da nossa prisão, rindo e montado em mim, dentro de mim, minha camisola empurrada até o pescoço. "Acorda, soneca, que é hora de amar." Depois o plaf-plaf das crianças e o velho de brim branco e sapatos brancos e cabelos brancos arrancando dali para ir trabalhar como se arrancasse todo dia uma árvore do jardim, com uma pena mortal.

— Acorda, Isolda, que seu João está no Don Juan que chilreia de canários escoceses pressentindo a manhã em suas gaiolas de vidro.

A choça que Eustáquio e seus pais habitavam nos terrenos do velho Cuevas só tinha, além do alpendre, um cômodo de terra batida onde havia tanto o fogão em que sua mãe cozinhava como a cama em que dormia com o pai. Até uma certa idade, uns oito anos talvez, Eustáquio dormiu na mesma cama e já estava perfeitamente habituado, mesmo quando lhe acontecia despertar, a se encolher bem no seu canto, olhos fechados, quando os pais gemiam e arquejavam nos braços um do outro. Mas um dia o pai resolveu que ele estava grande demais para partilhar a cama, e armou no quintal uma cabaninha de pau a pique, coberta de palha, com um catre para o menino dormir. E foi então que Eustáquio descobriu as árvores. O terreno que o velho Cuevas destinara aos colonos, que lhe pagavam aluguel e compravam os gêneros no barracão do bananal, tinha sido outrora parque e pomar de uma primeira casa de fazenda e em torno da cabaninha de Eustáquio havia um abacateiro, uma velha ameixeira, uma goiabeirinha, uma touceira de bambu e, por toda parte, capim devorado de tiririca. E havia a árvore, uma árvore grande, sempre verde, que não dava flor nem fruta e que se chamava simplesmente a árvore, já que ninguém lhe sabia o nome. Alta, linheira, com uma copa ridiculamente pequena para sua estatura, ela mal atirava no chão uma moeda de sombra antes e depois do meio-dia. O resto do dia era inútil procurar sua sombra mesquinha, oculta no mato ou fundida bem longe em outras sombras. A árvore estava além da capacidade agressiva de Eustáquio, que em geral a ignorava totalmente em seus brinquedos, mas uma coisa timbrava em fazer: mijava sempre no seu tronco. O pai havia dito que mijo fazia mal às plantas e ele portanto represava sempre o seu para regar a árvore. Quanto às demais árvores, eram sua família, seus amigos, sua mãe Honória, sua tia Mazurca, seu amigo e rival Bruno, e, já que Lindalva não existia ainda em seus sonhos, a menina Ricarda, filha de outro colono. Honória, sua mãe, era o abacateiro, a velha ameixeira era a tia, o pai o bambu-mor da touceira. A goiabeirinha, ainda toda galhos e folha verde-claro, era a menina Ricarda. Bruno zombava da timidez de Eustáquio e lhe dizia que quando encontrava Ricarda depois das compras no barracão, carregava para ela o saco de mantimentos e ganhava um beijo furtivo antes de chegarem à vista da casa dela. Quando a goiabeirinha deu fruto, Eustáquio escondeu o fato de todos e a si próprio jurou não tocar nas goiabas, que contemplava de ouro durante o dia e de prata quando havia lua. Algumas das goiabas já tinham até caído sozinhas quando, certa noite de lua e de vento, num acesso de amor, Eustáquio, depois de rolar na cama, sem sono, levantou num repelão para ir no quintal colher as goiabas e menos comê-las do que esfregá-las e amassá-las contra a cara, contra o peito, contra o membro duro e dolorido de uma masturbação que ainda não resultava em gozo. Foi nessa época, de que Eustáquio se lembrava tão bem, que a mãe o surpreendeu falando arrogante com o bambu escalavrado que era Bruno, enquanto afagava o tronco liso e sedoso da goiabeirinha Ricarda. E foi igualmente nessa época, dias depois, que Eustáquio despertou no centro do fim do mundo, no tronco do furacão que arrancou num safanão o telheiro de palha da sua cabana, que arrasou milhares de bananeiras e deixou ao relento centenas de famílias. Quando o pai o carregou para dentro de casa, pareceu enfurecer a árvore, que se extraiu do chão pelas próprias raízes e veio arriando com estridor até esfrangalhar a cabaninha como um martelo vibrado contra um pote de barro. Honória celebrou o milagre do salvamento do filho acendendo uma vela a Nossa Senhora das Tormentas e obrigando o filho durante dias a rezar à mãe de Deus três ave-marias e três padre-nossos, o que Eustáquio cumpriu. Mas em lugar de agradecer a Nossa Senhora o milagre, pediu-lhe que carregasse depressa o tronco da árvore para longe do quintal, antes que o pai porventura descobrisse a que tipo de rega submetia a árvore rancorosa. Mas era impossível remover o tronco inteiro. O pai deu-o de presente ao carpinteiro local, para que o fosse serrando e levando para sua oficina. Dias a fio Eustáquio andou fugido de casa para não ouvir o roc-roc do serrote esquartejando o inimigo derrotado e mais outros dias viu-o que se transformava em tábuas e tábuas empilhadas, a madeira fresca grudada de terra e suja de pó. O carpinteiro retribuiu a árvore dando à família três cadeiras. Eustáquio jamais usou a sua.

Ao entrar na igreja de São José, Geraldino sentiu um enjoo físico. Não era apenas o cheiro de vela, de flor, de beata e sim o cheiro barato de milagre. Que tinha S. José a ver com a revolução para levar o ex-pároco de S. José da Laje a recolher um recado de cubanos no segundo lugar da terceira fila de genuflexórios da sua igreja do Rio? Geraldino recusava com ira a coincidência, que parecia representar uma adesão do santo à causa e que um dia, vitoriosa a causa, poderia enxertar nas hagiografias josefinas o auxílio concedido. E o José do altar-mor da igreja do Rio não era como o padroeiro da igrejinha alagoana, um subdesenvolvido santinho de massa, de um metro e sessenta de altura. Era um santarrão imenso, barbudo como um guerrilheiro, mãos enormes segurando o Menino, manto marrom e túnica azul envolvendo um corpo de atleta madurão, bem capaz de cuidar de mulher nova. Geraldino teve ganas de repetir a façanha: puxar a toalha de linho, com seu babado de renda, ornada de pombas do Espírito Santo, e ver José desequilibrar-se, como um pugilista tonto de murros, curvar-se no espaço, e afinal cair de bruços, partindo-se ao meio na quina do altar.

Um sujeito ajoelhou-se no genuflexório ao seu lado, olhando o altar em frente, e apenas mexeu os lábios, como quem reza:

— Meu nome é Eustáquio.

— Geraldino é o meu.

Eustáquio fez o sinal da cruz, levantando-se logo em seguida e deixando sobre o genuflexório um envelope escuro, que Geraldino apanhou, e saiu, como entrara, pela porta principal. Geraldino viu fiéis que sumiam por trás do altarmor e, antes de sair ele também, seguiu-os. Espremida entre o altar-mor e a parede do fundo, encontrou uma horrível cripta de vidro com o nome de Trânsito de S. José. As paredes laterais, de madeira branca com entalhes dourados, estavam rabiscadas a lápis como um muro de mictório: nomes de homem e mulher entrelaçados, agradecimentos por favores recebidos, datas de curas extraordinárias. Deitado no seu leito de morte, no fundo da cripta, um José lívido, senil, enfiado num camisolão e velado pelas estátuas de Cristo e Maria, nédios e jovens. Geraldino resmungou com alegria a oração dos agonizantes e se esgueirou pela passagem estreita. Saiu da igreja pela porta lateral, que dá para o Palácio Tiradentes, para o sol e para o permanente engarrafamento de tráfego que desce em cachoeira da Esplanada do Castelo. Apertando no bolso o envelope trazido por Eustáquio, Geraldino parou um instante na calçada, ofuscado pela luz do dia e deixando-se encharcar pelo coro furioso das buzinas — missa profana, hino de júbilo a celebrar a morte do velho em sua cripta de vidro.

Sugando da guampa de boi o mate frio, Joelmir olhava correr o Miranda, que carreava seu barro e seus barcos para o Paraguai. Sentado no alpendre, sentia confundir-se com o perfume do mate o cheiro rico da carne que Valdelize assava e da lenha que crepitava no fogão assando a carne. Só nessa altura da vida Joelmir descobria de que eram feitas as pessoas por dentro: de perguntas. Na longa espera da serra mineira do Caparaó tinha talvez feito a descoberta, mas escurecida, dominada pela pergunta tirânica de querer saber por que se semeavam em vão a vontade de luta e a coragem dos homens. Feito semear lavouras nas águas do Miranda, pensava, falando baixo e esticando o beiço na direção do rio. Trocada a esperança da bela morte na serra pela vida plácida no chão pantaneiro, Joelmir olhava para dentro de si mesmo e via as perguntas que subiam incessantes feito bolhas de ar dum fundo de corixo.

Na cozinha de repente se espantava: por que é que só o leite quando ferve entorna? No quintal havia um galo paraguaio, vindo do Paraguai. Paraguaio por quê? Observado da crista vermelha aos esporões barrentos não tinha nada de paraguaio. E os paraguaios tinham? No gado do sogro e na roça trabalhava duro e atento mas mesmo então olhava a palmeira carandá, igualzinha, igualzinha à carnaúba e perguntava por que o carandá não dava cera. Joelmir examinara dúzias e dúzias de leques de carandá novo e velho, leques iguaizinhos aos da carnaúba, e nem fantasma de cera. Por quê, gente?

Chupando mate, olhando um carandá perfilado na distância, Joelmir não ouviu Valdelize que chamava para a janta. Valdelize chegou ao alpendre, sorriu, passou a mão no ar diante da vista dele.

— Dormindo de olho aberto, Joelmir?

— Oi, Valdelize! Eu estava pensando. Se todo mundo começasse de repente a se gostar assim feito nós dois? Gente estranha que nunca tinha se visto antes. O que é que acontecia? Parava tudo?

— Está doido, bem? Paixão assim é de homem e mulher, de vez em quando.

— É... Mas se pudesse, como é que era?

— Vem comer que tem vitela e tem feijão-branco.

Ainda não se via ventre nenhum em Valdelize e nem tinha parado de correr todos os meses seu sangue de mulher mas depois do jantar ela fiava lã, bordava no bastidor, recortava algodão e flanela como se de repente fosse parir uma ninhada inteira de meninos. (Por que é que mulher, que só tem dois seios, às vezes enchia a cama de crianças feito gata que tem a barriga de seda alastrada de botões de maminhas?) Joelmir deixava subir no ar as perguntas que as respostas às vezes chegavam prontas, dias depois: amadureciam feito fruta colhida de vez e abafada em cesto. (Maminha de homem servia afinal para quê?) O doce era de jerimum, o café moído de fresco. Nas noites assim, de passadio bom demais, Joelmir sentia que os aços do galpão de ferramentas puxavam por ele feito um ímã. Valdelize não o acompanhava nunca àquela traição. Nem dizia nada quando Joelmir se levantava, cachimbo aceso na boca, e saía pela direita do alpendre como um sonâmbulo deslizando para fora da cama no encalço de algum sonho em fuga.

— Posso levar esse retalho de flanela, Valdelize?
— É seu, meu bem.

Pela direita do alpendre foi Joelmir, flanela no bolso, candeeiro na mão. Dentro do galpão as selas de montar cavalgavam varas, estribos no ar, freios pendiam de rédeas e cabeçadas, chilenas de roseta grande dependuravam-se de pregos pelas alças. As mantas de carneiro e os pelegos misturavam seu cheiro de bicho suado ao cheiro das botas altas e dos saiotes de couro franjados de tiras, e havia ainda o cheiro da terra fresca colada aos ancinhos, enxadas e pás ensarilhados contra a parede. Pegando o garfo que espetava os dentes no ar Joelmir levantou no centro do galpão a palha grossa de terra que cobria o chão. Descoberta a argola, levantou a tampa do alçapão e a luz do candeeiro tirou reflexos azulados do cano dos fuzis. Joelmir desceu o meio metro de fosso e se ajoelhou diante das armas. (Por que é que aquele jornal dizia que ninguém mais tinha coragem de chamar uma guerra de guerra santa?) Examinou a munição nas caixas; com as escovas articuladas em hastes de arame limpou os canos por dentro; com a flanela nova passou óleo e graxa nas juntas dos fuzis. Depois, feito aqueles garimpeiros do Aquidauana que procuravam com amor uma faísca amarela nas peneiras de areia, Joelmir procurou com severidade qualquer grão de ferrugem nos metais. Colocou de novo no lugar as armas, como se pusesse filhos na cama depois do banho.

Saiu do galpão na ansiedade de sempre, precisando andar, cansar-se antes de voltar para casa. Vagou pelas hortas onde tinha trabalhado durante o dia e depois foi visitar a lancha *Faceira* em seu ancoradouro do rio, presa pela corda à sua árvore como um cavalo pelo cabresto a um mourão. A *Faceira* lhe dava ânimo, não dava sono, tensa na corda, amarrada mas esperando que antes da água lhe descoser as tábuas apodrecessem as raízes da árvore: nesse dia ela rebocava a árvore num enterro fluvial até o Paraguai. Para as noites em que a visita às armas doía muito só havia um remédio, o curral. Um e outro gado que ainda estivesse ruminando voltava a cabeça para Joelmir com mansos olhos que a lamparina acendia criando um raro bicho de guampas enfiadas na treva e globos de lume boiando no pelo áspero da testa. Mas entre os que dormiam é que Joelmir levava sua insônia a pastar (será que boi sonha feito cachorro quando choraminga e treme das pernas?) entre os corpanzis grossos de cansaço, dormindo um sono tão palpável que Joelmir tinha a impressão de não poder andar entre os bois, de esbarrar numa goma e se enlear de mãos e pés em sonolência de boi. Andou, andou cauteloso por picadas e picadas de brutos dormidos até sentir os bolsos, o chapéu, as botas e afinal as pálpebras cheias de sono. Caminhou lento para casa como quem carrega baldes cheios demais. Não queria desperdiçar sono nenhum.

Aniceto tinha voltado aquele dia do Estácio, com João, sentindo que no lugar de sua cabeça funcionava a toda o liquidificador maior do Bar Don Juan: o vulto recortado por trás do vidro, o cabo do 45 na mão, e ele lembrando sua chegada de Alagoas, fugido da Polícia, João lhe arranjando emprego de leão de chácara no bar.

"Não sei fazer nada neste mundo. Só mesmo dar tiro em desafeto dos outros."

"Pistoleiro?"

"Sim senhor."

"Você agora vai dar tiro nos desafetos de todos nós" — tinha dito João.

Agora, no balcão do bar à espera dos fregueses, Aniceto lembrava a armadura que Mestre Laurêncio, como um armeiro do catimbó, lhe pregara na própria carne. Lembrava mais com o corpo do que com a memória, por assim dizer: nas narinas o sarro do cachimbo que Laurêncio fumava com o fornilho na boca, soprando a fumaça pelo tubo, o bafio das velas, a morrinha das raízes, o hálito de aguardente; nos pés o frio da água que a curupira tinha derramado na bacia esmaltada; em cada articulação de osso aquele estalo que sentia à medida que Mestre Laurêncio lhe trancava o corpo contra bala e faca. Aniceto entrou no catimbó insolente, terno de linho branco cheirando a sabão e goma, chapéu-panamá na cabeça. Tinha largado de Pão de Açúcar menos por matar Sesostris que para fugir da Da Glória e na barranca inteira do São Francisco crescia seu nome de pistoleiro afamado. Foi no catimbó quase de picardia, sem muito ligar aquelas conversas de Vajucá e chave de Vangalô. Seu corpo fechado era o corpo do inimigo aberto à sua mira, era um amor entre sua mão direita e o revólver igual ao amor entre Aniceto e Da Glória. Quando ele entrou sorrindo, entre dois pistoleirinhos que eram feito sua sombra.

"Mestre Laurêncio, eu lhe digo perdão" — falou Aniceto.

"O que é que foi, Mestre Laurêncio? Se assustou só de ver Niceto?"

Laurêncio nem olhou o pistoleirinho que assim falou, pois fitava Aniceto.

"Chega mais perto, seu moço" — disse afinal.

"Vista ruim?" — disse Aniceto que se aproximou.

"A vista é regular, mas presunção costuma apagar quando se olha ela de perto."

Os dois pistoleiros acompanhantes deram um passo assim como quem vai se meter na conversa, mas Aniceto parou os dois.

"Me falaram que você quer fechar o corpo, moço."

"Se vosmicê não estiver muito ocupado" — disse Aniceto.

"É só o tempo de me acenderem de novo o pito que seu vento apagou" — disse Laurêncio estendendo o cachimbo à curupira.

"Pois eu não gosto de abusar do tempo de ninguém, Mestre Laurêncio. Passar bem — disse Aniceto que ia se voltando para ir embora —, eu volto outro dia, pode ser."

"Não paga nem a pena de voltar, moço, quem procura remédio que não quer encontrar, não acha. Quem mata os outros, querendo matar uma coisa nele mesmo, morre vivo."

Mestre Laurêncio pitou de novo o cachimbo aceso e mandou os secretários puxarem o ponto. Aniceto não estava mais rindo nem nada e entendeu que Laurêncio tinha mandado puxar a música para eles poderem falar sem ninguém ouvir. "Quem mata os outros querendo matar uma coisa nele mesmo." Aniceto não tinha mais orgulho porque agora, naquele repente, passava a acreditar em Mestre Laurêncio e no catimbó.

"Mestre Laurêncio, eu lhe digo perdão" — falou Aniceto no centro da música e do sapateado. — "O que é que eu quero matar em mim?"

"Se você pergunta é porque sabe."

"Eu peço a vosmicê que me diga, eu fico de joelhos se vosmicê prefere."

"Tua voz não entra na minha boca. O que eu digo é que posso fechar teu corpo contra bala e contra faca mas não tem corpo de homem que se tranque contra tiro que estoura dentro, contra faca que não vem de fora."

Estava Mestre Laurêncio mangando dele só porque ele tinha entrado sem fé e sem respeito ou estava mesmo enxergando aquela faca que ele carregava nas entranhas?

"Eu te fecho de tiro, de faca e peçonha de cobra, Aniceto, mas você prossegue aberto no que sabe. Tira as botas, Aniceto, fica de peito nu."

Os pistoleirinhos assombrados e sem mais ouvir a conversa viram um Aniceto humilde, que dizia sim com a cabeça curvada, tirava as botas e a camisa e se punha de pé na bacia esmaltada onde uma curupira despejou água. Laurêncio soprou na água a fumaça do cachimbo aos pés de Aniceto penitente, brandiu no ar a chave de aço e, no silêncio aprofundado pela sombra da música cessada de chofre, começou a trancar Aniceto com golpes de chave:

"Te isola do mundo na bacia Princesa, na ilha Princesa, e fecha-te órgão, pelo Vajucá, de faca de ponta, de rifle e veneno, que no mundo há. Fecha o corpo deste irmão na cova de Salomão. Fecha o corpo, tá fechado, mura o corpo, tá murado, tapa o corpo, tá tapado, Vajucá."

Aniceto lembrava a vista dos maracás, baralhos de buenadicha, pés martelando o chão em torno da bacia Princesa.

"Fecha artelho, fecha pé, fecha joelho, fecha fonte, fonte, fonte, Vajucá."

E agora tudo rodava à sua volta, curupiras, curupiras, secretários, e ele sabendo que nada mais entrava de fora no seu corpo e que a faca de dentro não saía nunca mais.

No dia em que alugou o pequeno sítio nos arredores de Corumbá, Gil resolveu que o que mais lhe importava na vida era Mariana, recuperar Mariana, colocar de novo a cabeça de Mariana no travesseiro ao lado do seu. Depois, escrever livros. E nada mais. Ainda bem que não encontrara Joelmir. Mergulhou no Pantanal de poros abertos, para ingurgitar o que encontrasse e suar depois o Brasil tal como conhecido das toupeiras, dos tatus e dos mortos de boca cheia de terra, no máximo o Brasil rente ao chão, bem rente, jamais atingindo a altura de um homem e nunca a altura de um revolucionário. Pedia auxílio a seu vizinho Ximeno para armar o roteiro, depois tomava o trem até uma estação dentro do Pantanal e saía a cavalo, carregando na sela o saco de dormir em que se enfiava e se zipava para pernoitar ao relento, ouvindo corujas e sapos. Às vezes pedia abrigo numa invernada da fazenda Bodoquena ou da Miranda Estância, aquecendo-se à fogueira dos vaqueiros, sorvendo uma caneca de café ou um chifre de mate. Difícil fazer os vaqueiros aceitarem a carne ou o leite que tirava de latas, mesmo quando ele partilhava do churrasco ou do panelão de maria-chica, enquanto ouvia conversa de boi ou de onça, a garantia de veracidade esticada em varas.

— Meu barroso se atolou mas urubu nem roçou nele.

E o vaqueiro apontava grave a carne que secava nas varas.

— Ela fez a dizimação dos carneiros na beira do Abobral, mas morreu de pura zagaia nas arcas do peito.

Lá estava o rasgão na pele ainda fresca da pintada amarelando brava à luz da fogueira. Gil se despedia, saía a cavalo pela noite afora para dormir debaixo do telheiro dum cocho de sal, à beira dum corixo fosforescente de olhos de jacaré, e acordar com o ruflo de asas dos colhereiros cor-de-rosa. Lavava a cara no corixo, colhia e chupava uma seriguela ácida, esfregava nas mãos as folhas da aroeira para guardar o perfume, selava o cavalo e partia de novo. Não anotava nada em viagem e nem tinha máquina fotográfica: via e digeria o emo chocando os ovos da ema, o bem-te-vi catando piolho no boi, as maltas de cardeais salpicando o mundo de sangue, os cavaleiros que sumiam a galope no capim-colonião, de fora só os chapéus fendendo velozmente o verde. Tinha tido nas suas andanças recompensas esplêndidas como na noite em que de olhos abertos às estrelas e invisível em seu casulo de náilon como uma lagarta no capim vira um jovem vaqueiro apear da sua égua, ajeitá-la contra um barranco e fodê-la numa longa e rítmica série de estocadas até o suspiro final e um breve e reparador cochilo abraçado às ancas. Antes de montar de novo e prosseguir caminho afagara afetuosamente a cara da égua e Gil ao cerrar os olhos e adormecer teve a visão beatífica do Pantanal povoado por uma corcoveante raça de centauros.

2

João chegou cedo ao Bar Don Juan, ou Don Juan's, na rua General Urquiza, Leblon. Só havia nas mesas os fregueses do jantar, que mais tarde cediam lugar à roda boêmia, ao pessoal de teatro e cinema, à esquerda festiva. Foi direto ao escritório, ao encontro de Aniceto que, além de leão de chácara, era homem de confiança do velho espanhol Andrés, proprietário do bar. Bateu à porta.

— Quem vem lá? — perguntou Aniceto.

João disse quem era e foi virando a maçaneta, mas a porta estava trancada.

— Você está só?

— Estou — disse João.

Aniceto abriu a porta, sorrindo, com ar de menino apanhado em flagrante de travessura. Tinha uma seringa de injeção na mão.

— Que é isso, Aniceto? Virou médico?

— Não, enfermeiro de garrafa de uísque.

Aniceto tinha voltado a trancar a porta e João relanceou os olhos pelo escritório, pelas garrafas, pela seringa de clister. Botou as mãos na cabeça.

— Aniceto, meu filho, isto dá cana. E é uma falta de respeito. Uísque escocês é água-benta de arroio que corre em terra de turfa. Tem gosto dos seixos dos riachos de montanha, assim como o xerez tem gosto das sofridas pedras da Andaluzia, como diz teu patrão Andrés. No mundo salvo do futuro só se vai manter uma tirania, um controle: o do uísque da Escócia e o do vinho de Jerez de la Frontera, para que todos tenham sua garrafa.

— E como é que a gente chega lá, João?

— Lá onde?

— Lá nesse mundo de xerez e de uísque para a cabroeira toda?

— Você ainda não acredita na revolução? Logo você, meu instrutor de tiro?

— Acredito, desde que haja dinheiro para fazer ela, quer dizer, a revolução. E este serviço aqui ajuda. Como eu não assalto bancos faço finanças assim. O velho Andrés acabou concordando.

João balançou a cabeça.

— Aniceto, você me agride sem piedade com o dilema eterno dos fins e dos meios. Você acha que o caminho que leva ao uísque generalizado passa pelo uísque falsificado.

— É uma coisa assim.

— Então falsifica, Aniceto, falsifica.

O equipamento de Aniceto era simples: arame, um funil, uma seringa de injeção e outra de clister. Falsificar uísque em massa podia ser difícil, mas para atender ao consumo de um bar era brinquedo de criança. Aniceto partia de uma observação geral, apoiada em experiência própria. Grande conhecedor de cachaça, ele, quando ainda pistoleiro em

Alagoas, era capaz de acertar de raspão o pé dum taverneiro sem-vergonha que lhe servisse uma talagada duma cana qualquer afiançando tratar-se da Azuladinha. Mas quando já tinha secado um balde da boa uca bebia qualquer sestrosa de alambique de quintal sem suspeitar de nada. Com o tal de uísque era a mesma coisa. Ele próprio tinha acertado o bico no escocês. Logo que começava a noite no Bar Don Juan podiam até lhe vendar os olhos que num primeiro bochecho ele sabia direitinho se o rótulo do Johnnie Walker era preto ou vermelho. Depois, duvidava que pudesse dizer se chupava um Highland Nectar ou um Mansion House, se virava um J&B ou um Lumquar. E ele era homem sério, tomava uísque puro, enquanto a freguesia do Don Juan's enchia o copo de gelo, sem falar nos que botavam água. Ora, se no puro e duro uísque Aniceto não sabia mais depois do quinto ou sexto se tomava House of Lords ou Old Lord quem é que havia de saber? Tinha os bacanas, naturalmente, que quando já estavam de cara cheia armavam um sarceiro de todos os diabos: "Esse escocês está uma bosta. Você vende álcool de armazém e cobra preço de Swing. Por isso é que a gente tem dor de cabeça no dia seguinte." E era Swing mesmo, do legítimo. Trazia-se uma garrafa nova, igualzinha à outra, punha-se dose nova em copo limpo e dose da garrafa acusada em outro copo limpo, mandava-se o bêbedo provar. O bêbedo cuspia fora o uísque da garrafa anterior e bradava: "Agora sim, seu sacana, o outro é uísque de Cascadura."

Aniceto coçava o cinto no lugar onde antigamente usava estojo e pistola e onde agora só havia mesmo a correia do cinto. Tinha gana de abrir a bala o bucho do porrista como quem baleia um odre e depois chamar um médico para dizer se aquela bexiga da peste tinha uísque que não fosse importado. Resolveu ir à forra. Com a consciência em grande paz pegava garrafas já abertas com um quarto de escocês e batizava com dois quartos do nacional. Mexia também em garrafas novas dos uísques mais caros. Não tinha safadeza de misturar álcool, iodo e sacrilégios assim não. Furava a rolha de um Buchanan's com agulha de injeção, retirava um terço do líquido, passava o terço para outra garrafa de Buchanan's onde havia quase dois terços de Royal Label. No espaço criado pela chupada da seringa na garrafa ainda fechada de Buchanan's injetava um terço do Royal Label. Quando as garrafas eram de tampa de válvula o arame aquecido abria caminho para depois se aplicar um clister do nacional no escocês honrado. No serviço do bar, o cuidado de Aniceto era ver que as três primeiras doses dos uísques mais caros fossem honestas. Depois era só servir a mistura.

— Então falsifica, Aniceto — repetiu João. — O que não se pode tolerar é que o povo seja de novo apanhado sem armas e sem recursos como no bogotaço.

Aniceto naquele dia alterou com mão firme até a composição íntima de botijas de Monk's e de um garrafão de Chivas Regal. Sabia que quando a lembrança de Bogotá em chamas lhe subia à cabeça João estava perdido para a vida em torno.

— A rosa — disse João —, a rosa de fogo abrindo por cima das casas, mas sem a haste ligando rosa e raiz. Abriu as pétalas, ficou um instante no ar, sobre Bogotá e sobre a América do Sul. Iluminou com seu fogo rosa centenas de cadáveres e desapareceu depois entre as estrelas. Se fosse uma rosa cativa ninguém aguentaria seu fulgor.

João deu uma cheirada distraída na rolha dum William Lawson, muito de seu agrado.

— Podia ter feito arder o continente — disse João — e mal incendiou um quarteirão. Podia até ter seduzido os brasileiros.

— Isto vai ser possível?

— Agora vai, Aniceto. Nossos patrícios estão hibernando, como diz o Gil, mas quando saírem ao sol o sol nem vai mais chegar ao chão da América, tantos seremos nós.

Aniceto deu um clister de Drury's num 100 Pipers enquanto na cabeça de João a rosa de Bogotá se resolveu na imagem de Laurinha. Por que é que Laurinha ficava tanto em casa agora, no apartamento de Santa Teresa, olhando pela janela? Mas reagiu à lembrança de Laurinha como um homem que em pleno deserto prefere não lembrar um arroio familiar.

— Aniceto — disse João —, chega de assassinar gaiteiros da Escócia que o inimigo é outro.

— É só você dar as ordens, João. Com o materialzinho que eu tenho aqui é fácil a gente entrar na falsificação a granel e...

— Não, Aniceto, misericórdia.

O primeiro a chegar ao bar foi o Murta, cabelo ainda mais comprido que de costume, calça Lee rapada, medalhão de folha de Iemanjá pendurado duma corrente sobre o peito magro e peludo.

— Como é, João, vai falar com o homem em São Paulo?

— Nem uma palavra aqui sobre o assunto.

— Então vamos a um uísque.

Veio para a mesa uma garrafa de Haigh's Five Star e João olhou para trás com inquietação, procurando os olhos de

Aniceto que presidia o bar, na caixa. Aniceto, sério, bateu com a cabeça, afirmativo e tranquilizador.

— Aceito o convite para entrar na tua revolução, João, mas...

— Não fala nisto aqui, já disse! Aqui não discuto mais nem a Revolução Russa, com o Paulino.

— Antes de mais nada, isola! Fala no chato ele aparece.

— Então não mencione mais a palavra.

— Aceito o convite para o baile, João, mas a vocação brasiliense vai mais fundo. Nós vamos mudar os colhões do homem. O bicho está pronto para virar espécie nova. Os países adiantados estão procurando novos símbolos e o Brasil odeia símbolos, mitos, velharias. Meu filme está todo bolado e você vai ver como é que a gente encarna nos troços. O que é que você pensa que é a palhaçada da nossa vida política?

— Não é símbolo não, é palhaçada mesmo.

— Exato. A gente vai é encarnar. Eu ontem filmei um negro numa macumba da praia do Pontal. Está encarnando nele um cavalo de santo. Fizemos uma vaquinha para comprar para ele uns sapatos especiais porque seu pé está virando casco. O crioulo vai cair de quatro. Não sabe mais ficar em pé feito a gente. A tua revolução...

— Cala a boca, Murta.

— E Laurinha, quedê Laurinha? Já virou Isolda, a Rainha?

— Laurinha está em casa — disse João, seco.

— Não me honre com seu ciúme de Don Juan taverneiro. Bem sei que sou jovem e belo e você, sem ser feio, é quarentão. Mas apesar de jovem e belo sou impotente. Pelo menos com as mulheres que amo, como Laurinha. Sou um retardado sexual, perseguido pela beleza de minha mãe, a qual beleza herdei. As mulheres que amo são santas para mim. Posso me deitar com elas, os dois nuinhos, e ficar ouvindo através dos tempos canções de ninar menino.

Vinha chegando Mariana de lenta beleza, traços talvez um pouco fortes, olheiras talvez acentuadas demais, mas de rosto que se compunha quando olhado, se fazia na hora. Ao cabo de quinze minutos era belíssima, tinha escrito Gil no romance. Quem ficasse perto dela os quinze minutos marcados podia ir tomando cuidado. Beijou Murta e João no rosto e fez um aceno a Aniceto.

— E então? Marchamos? — disse Mariana.

— Aqui, bebemos — disse o Murta que lhe serviu uísque.

Mariana rodou o gelo no copo, deu um gole fundo.

— E Mansinho?

— Já vem, Mariana, já vem, infelizmente — disse o Murta. — Um dos teus encantos é exibir com tanto descaro tua lamentável paixão por esse calhorda.

— E um dos teus é dizer exatamente o que te passa pela cuca.

— Você acha que esse amor pelo pulha é eterno? Mas está chegando, o pulha, com o sacerdote renegado, Geraldino. São os do Norte que vêm.

Mansinho paraense, cabelo preto e escorrido de índio, franzino, cara fechada. Claro e cheio, Geraldino parecia um europeu ao seu lado.

— Papo furado — disse Mansinho sentando-se e cumprimentando a todos com a mão. — Não arranjei a chave.

João escondeu a cara nas mãos. Depois olhou Mansinho.

— Por que é que não avisou, rapaz? Isto esculhamba tudo.

— Ué, a mulher dona do apartamento voltou da viagem.

— Fala sério — disse João.

— Ora essa. Estou falando sério — disse Mansinho. — O negócio era ideal, mas a mulher voltou. A sueca.

— A Karin — disse Mariana.

Mariana falou como se falasse de uma mulher estranha, a propósito de um homem qualquer, mas estava pálida e despejou mais uísque no copo.

— Paciência — disse João. — É o nosso amadorismo eterno. Vamos para minha casa. Aqui não podemos conversar.

— A ideia básica não é tocar para Mato Grosso e nos hospedarmos com o Gil? — perguntou Mansinho.

— Sim, mas antes disto, antes de ir, precisamos nos entender — disse João.

— Para quê? — disse Mansinho. — Gil não procurou Mariana?

Mansinho falou, erguendo uma sobrancelha, irônico e ao mesmo tempo desejando que ela voltasse a Gil. Por que roubara Mariana de Gil Setúbal? Que besteira.

— Procurou — disse Mariana. — Me escreveu várias cartas.

— Pois então — disse Mansinho — é só pedir a Mariana, que pedirá a Gil, que emprestará o sítio à revolução. Temos a isca infalível.

— A isca faz questão de antes dizer ao Gil que vai como isca.

— E por favor não fale em revolução como um idiota — disse João.

— Aniceto, esse uísque está infecto! — berrou um freguês no fundo.

— Vocês estão vendo que aqui não podemos ficar, não é? — disse João.

— Boa é a vida do Geraldino — disse Mansinho, de repente, olhando Mariana. — Não é mais padre mas continua fugindo das mulheres como o diabo da cruz.

Geraldino ficou meio corado mas sorriu. Pensava numa mulher tão diferente de Mariana ou Laurinha! Seriam do mesmo sexo, Mariana, Laurinha e sua Ermelinda trágica, de orfandade absoluta, só na crosta da Terra como algum ser que de repente os astronautas encontrassem vagando pelas crateras da Lua?

João foi chamado à mesa grande em que Cabanès, o jornalista francês, jantava com jovens cineastas do grupo contrário ao de Murta. João tinha seu copo na mão e de longe pediu a Aniceto que viesse enchê-lo. Um dos rapazes lhe perguntou:

— Onde é que anda o Gil Setúbal?

— Ouvi dizer que está escrevendo outro romance — disse João. — Meteu-se numa fazenda ou coisa assim.

— Aonde?

— Não sei, parece que em Mato Grosso, ou Goiás — disse João, dando dois goles selvagens no uísque.

Aniceto se aproximou da mesa onde estava João para lhe dar de beber e Mariana, de longe, entre as palavras de Murta e de Mansinho, contemplou a figura vigorosa de João. Antes da paixão por Laurinha João a cantara o fino, mandando rosas e tudo. Tinham dançado uma noite no velho Sacha's e ela chegou a rir quando João se encostou nela com tanta força que ela ficou sem ar e mal conseguia dançar.

"Ô neguinho" — disse Mariana —, "você pensa que eu sou transparente?"

"Como, meu bem?"

"Você quer passar através de mim?"

"Não, Mariana, quero ficar no meio."

Naquele tempo o cabelo de João, de duros cachos, não tinha fios brancos, como agora. O velho Andrés batizara seu bar de Don Juan por causa do João. Ah, tinha querido gostar de João. Mansinho acabava de roubá-la a Gil e ela procurava, ao escorregar para dentro do abismo, uma mão forte como a de João, que a retivesse. Mas qual, não procurava nada. João tinha mãos longas e finas. Mariana olhou sobre a toalha da mesa as mãos miúdas e escuras de Mansinho, feias e misteriosas como garras de milhafre. Nunca tinha visto um milhafre mas as mãos de Mansinho eram milhafrais. Cravam-se e não saem mais. O jeito era ficar perto, pois arrancar-se de tais unhas era o dilaceramento. Milhafre, só morrendo.

— Não é, Mariana? — perguntou Mansinho.

— Não é o quê, meu bem?

— Puxa! Você andava nas nuvens.

— Estava olhando João. Pensando nos tempos do Sacha's, antes de Laurinha.

— Você deu para ele? — perguntou Murta.

— Não. Que pena, não é?

— Eu — disse o Murta — se fosse mulher dava.

— Esse negócio de sexo igual não quer dizer nada não — disse Mansinho. — Vai em frente.

— A você eu não dava nem que você me cercasse com o bando inteiro de Lampião — disse o Murta.

— Por que é que você não deu? — perguntou Mansinho a Mariana.

— As garras do milhafre — disse Mariana.

— Ih, temos literatura — disse Mansinho despeitado porque queria que Mariana dissesse alto que não dera porque estava louca por ele. Naquele tempo ainda tinha tesão por ela, ainda vigiava ela com o rabo do olho, e bem que se lembrava de João, pequeno mas forte de ombros e de pernas dançando com Mariana sem prestar atenção à música, andando o tempo todo num lenço de assoalho, dançando como algum belo bicho que fizesse a corte a girar no mesmo lugar, grudado à fêmea.

— João agora vai ao porre — disse Murta.

— Vai mesmo — disse Mariana —, conheço aquele jeito dele beber. Daqui a pouco começa a bradar que o Cristo é o Vietcongue, porra!

— Não, não mais — disse Mansinho. — Agora se controla. Não se compromete mais.

Geraldino viu Cristo passar ao longe, frio, fino, branco e clorótico como uma virgem romântica. Desviou os olhos com frieza e lástima. João vinha afinal voltando à mesa, e, de costas para a porta, não podia ver que entrava Paulino.

— Pobre João — disse o Murta —, não sabe quem vem atrás dele. Também é bem feito! Quem manda conversar com aqueles cocorocas do cinema velho? Deus castiga, não é, Geraldino?

Mariana voltou-se para Geraldino, que ainda não tinha dito uma palavra.

— Repare, Geraldino, como agora que está de pileque o João vai falar em Laurinha. Aposto.

Geraldino sorriu:

— Deve ser bom um amor assim.

João sentou-se e na cadeira ao seu lado instalou-se Paulino. João olhou os outros como a culpá-los, ou pedir explicações.

Mansinho deu sua risada sincopada, galhofeira.

— Qual é a piada? — disse Paulino que, galantemente, cumprimentou Mariana com a cabeça.

Mansinho deu de ombros:

— Estou rindo porque o João jurou que não bebia hoje, é só.

Paulino voltou-se para falar com João e o Murta disse a Geraldino, praticamente sem cuidar de não ser ouvido:

— Frio nele, camarada, senão daqui a pouco tem Rasputin.

— E tem couraçado Potemkin — disse o Murta.

— Como vai a revolução? — disse Paulino a João.

— Que revolução, Paulino? Para mim isto acabou. Estou contra todos que estejam contra a ordem.

— Ah, meu caro, isto não é assim não. Revolução é uma cachaça. Nunca mais larga a gente. Uma cachaça.

Geraldino teve pela primeira vez um movimento brusco. Olhou Paulino com nojo. Conseguiram chocar Geraldino, pensou Mariana, não sem se divertir com a reação dele. Mariana começava a sentir o uísque, e, de longe, apontou ao Aniceto a garrafa vazia na mesa. Aniceto trouxe outra. Para Mariana, um Dimple puríssimo.

— Qual cachaça, qual nada — disse João vagamente, como a pedir socorro.

— Esse *scotch* está o fino — disse Mansinho, servindo-se da garrafa nova.

Mariana procurou a mão dele, que estava pousada na cadeira, mas Mansinho colocou-a sobre a mesa.

— Estávamos falando no livro do Gil, João — disse Mansinho.

— Grande romance, grande — disse Paulino se servindo de uísque.

— Grande demais — disse Mansinho. — Grandiloquente.

— Um livro da caceta — disse o Murta —, o maior que já saiu dessa bugrada brasílica. Encarnou a choldra.

— Acho exatamente hermético para o Brasil — disse Mansinho.

— O Brasil *é* hermético.

— Fale você, Mariana, imortalizada no livro — disse o Murta.

— Bobagem — disse Mariana —, o Gil juntou uma porção de mulheres na Lucila do livro. Já cansou de dizer.

— Meu anjo — disse Murta —, não reclama. Várias mulheres mas a xoxota que encarnou na Lucila foi a tua. E tu mereces.

Mariana bebeu mais. Ah, o remorso. Por que não amava Gil Setúbal como era amada por ele? Ou como tinha sido amada por ele. Tomara que Gil já estivesse curado. Mas será que desejava de fato isto? Ser esquecida? O orgulho doce, mau, terno, egoísta de ser amada por um homem como Gil e a raiva de não amá-lo. Claro que gostava dele, quem não gostaria, e tinha aquela ternura por ele que agora mesmo, se não fizesse força, lhe enchia os olhos de água. Mas podia e devia estar vivendo a vida dele. Nunca mulher nenhuma tinha tido um amor melhor, e oferecido assim, tão de graça, sem pedir nada em troca. Fazia sofrer um homem que não era só a torre esplêndida, tal como vista da planície. Quem via apenas o perfil da torre e do farol na borrasca e na maresia não podia adivinhar os salões tranquilos e os jardins internos que a torre abrigava. E no entanto a torre se mantinha vazia, cama feita e mesa posta para ela, ela, ela, Mariana, ela.

— Não se trata de hermetismo, Mansinho, mas das coisas vistas por dentro — disse o Murta. — O Gil encarna. Se você quer emparelhar com ele faz o mais fácil: mostra as coisas por fora, a mania do brasileiro com a realidade. E mostra antes do meu filme, porque depois dele não vai ficar nada a dizer sobre o Brasil demente da realidade. Faz isto em livro. Vira o Gil pelo avesso.

— Eu acho — disse Paulino — que o talento do Mansinho é...

— Não diga o que acha não, Paulino, por favor — disse Mansinho.

— Você vai ver o Gil, Mansinho? — perguntou Murta.

— Não. Não falo com ele há muito tempo.

— Ele perguntou por você da última vez que esteve aqui.

— Ah — disse Mansinho —, mas ele tem a condescendência dos gênios, sabe, o Gil. Não reconhece, não percebe a presença de adversários. Não passa recibo lidando com mortais.

Está de porre, pensou Mariana bebendo mais, daqui a pouco sai com a história das mulheres.

— Acho que vou para casa — disse João. — Laurinha não estava muito bem hoje.

Geraldino olhou Mariana, sorriu.

— Não estava bem Isolda, a Rainha? — disse Murta.

João piscou o olho para ele, para dizer que buscava um pretexto.

— Acho que devo ir — disse João.

Mansinho pôs a mão no joelho de Mariana, embaixo da toalha. Está pedindo apoio para falar, pensou Mariana, quer que eu o ajude a me ofender.

— A última vez que conversei com o Gil foi há muito tempo — disse Mansinho. — Ele ainda não era grande. Não era tão grande assim. Cavava o tal romance da torre, trancafiado num apartamento da avenida Niemeyer.

Mariana retirou o joelho. Era demais. A torre, a própria torre que dera nome ao romance. Sua torre, de onde ela descera um dia nas garras do milhafre, asa pingando sangue. Mansinho falando:

— Me disse o Gil, todo saudável, repousado, tisnado de sol:

"Ontem vi você com a sua obra-prima."

"Me viu com minha obra-prima como?"

"A lourinha que te acompanhava no Arpoador. Linda."

"Estou entendendo" — eu disse ao Gil.— "Você *escreve* as obras-primas, não é? Eu apenas trepo com elas." Gil aí botou a mão no meu ombro, afetuoso, e disse que era tempo de eu ter produzido mais, que casos de amor sucessivos mostram o artista querendo criar na cama o que só se cria na mesa do trabalho.

"Já sei, você, economicamente, tira várias mulheres de uma mulher só e põe todas no livro. Eu uso uma porção de mulheres e não crio nenhuma, fica tudo no lençol e no bidê."

"Você ainda se fixa" — disse Gil sorrindo e olhando a mulher que estava com ele. Eu disse a ele que agradecia muito os votos de boas-festas, mas que preferia deixar as coisas como estavam. Ele podia continuar escrevendo os livros que eu continuava fodendo as mulheres.

E roubou de Gil a mulher matriz de mulheres. Só para roubar, o puto, pensou Mariana virando o uísque.

— Escuta, minha gente — disse João —, se Laurinha ainda não veio é que deve estar cansada de esperar. E nem telefonou. Precisamos ir até lá que eu prometi a ela.

— Estou convidado? — disse Paulino.

— Claro — disse João —, mas...

— Não podemos deixar de esperar o Vavá — disse Mariana — para socorrer João.

João bateu na testa.

— Puxa! É verdade.

João foi ao banheiro e Murta o seguiu.

— Você quer mesmo ir?

— Claro — disse João —, somos todos uns irresponsáveis. E a sorte do continente depende de nós, uns porristas! Pelo menos Laurinha podia estar aqui, me dando apoio moral.

— Eu vou na frente — disse Murta — para tirar o Paulino do caminho. Despejo ele no Antonio's. Digo que o Bernini está lá e quer falar com ele sobre o Tratado de Brest-Litovsk. Vocês vêm em seguida.

Quando Murta voltou de Santa Teresa, trazendo Laurinha, viu com surpresa o toldo do Don Juan meio arriado. Curvou-se e segurou-o para erguê-lo, mas puxou de volta a mão justo a tempo de não ter os dedos esmagados entre porta e batente. Um pé imperioso tinha empurrado o toldo para baixo.

— Merda! — bradou Murta.

Pelo postigo dois olhos o fitaram como dois canos de pistola.

— Desculpe, Murta — disse do outro lado a voz de Aniceto, que suspendia a cortina.

— Desculpe — repetiu, encabulado, ao ver Laurinha.

Entre a porta e a quina do balcão do bar, Aniceto estrangulava na gravata um camarada mais alto e que parecia tão forte quanto ele mas que apenas agitava os braços no ar feito uma borboleta ainda viva, varada por um alfinete. Já havia mesas com cadeiras em cima, mas no centro do Don Juan, e ao longo do balcão, rugia um mar de exaltados cujos sapatos trituravam no chão cacos de vidro molhados.

— Foi por causa de Dora, essa puta — disse Marilyn.

— Você é que quis tirar o cara de mim, passando a mão nele. Pensa que eu não vi, vaca?

— Eu? Precisando de homem teu? Sai, bagulho.

— Calma, *tiens toi tranquille, mon chou* — disse Cabanès.

— Chora entre os cacos de copos e pratos o espírito de Alexandre Ivanovich Herzen — disse Paulino — e gargalha nos ares Mikail Alexandrovich Bakunin.

— Calma, Dora — disse Mansinho passando a mão pela cintura de Dora, que invectivava Marilyn.

— E você, ô coroa, vai levantando a pata — disse um moço a Mansinho.

— Também o grande Pedro em seus banquetes embriagava os adversários para surpreender seus segredos.

Laurinha passou o braço pelo pescoço de João.

— Vamos embora, meu bem, antes que quebrem tudo.

— Não quero outra coisa, mas o Juca Tapona telefonou à Radiopatrulha para virem prender o Aniceto.

João foi a Aniceto.

— Solta ele.

Aniceto afrouxou a gravata em Juca Souto, Juca Tapona, fecha-bar e fecha-birosca na orla atlântica de Ipanema, Leblon e Barra. Aniceto afrouxou com pesar, pois estava no justo equilíbrio entre o amolengamento do cabra e seu direito de respirar um pouquinho. Podia ficar assim o dia inteiro.

— Cuidado com ele, João! — bradava Paulino. — É um ocidentalista.

Aniceto acabava de largar o Juca, que dobrou as ilhargas feito um saco meio vazio de fubá.

— Está vendo? — silvou Paulino na cara do Juca. — Está vendo a força e poderio dos eslavófilos? Quem mandou chamar a tcheca?

— Marilyn de araque — disse Dora —, Marilyn de Souza.

João segurou Paulino pelo gasnete. Mansinho largou a cintura de Dora e berrou para Paulino:

— Cala a boca, ou quem te liquida sou eu, seu merdófilo filhadaputovich duma figa. Rua!

— Murta — disse Paulino —, o Bernini não estava não.

— Rua, Paulino, rua — disse Murta com brandura.

Aniceto deu um copo d'água ao Juca e bufou para expirar do peito um resto da sua raiva.

— Acho que a Radiopatrulha desistiu — disse Murta.

— Deixa eu enxugar o seu vestidinho, meu bem — disse Mansinho a Dora. — Você derramou um pouco de uísque.

— Juca — disse João —, você desculpe o Aniceto. Mas não ia sobrar garrafa sobre garrafa aqui dentro.

João fez menção ao Aniceto para ir para a cozinha. Cabanès se aproximou de Laurinha.

— Boa noite. *Vous parlez français, mademoiselle?*

Laurinha fez que não com a cabeça.

— *English perhaps?*

— Ela é surda e muda — disse o Murta. — *Sourde-muette*, sabe? *Circulez!*

— *Ah, pardon, c'est votre femme.*

— Quem me dera. Deus te abençoe.

Murta mergulhou um guardanapo no copo de uísque e borrifou Cabanès. Dora, bêbeda, olhava em frente sentada em sua mesa sem saber de onde vinha um certo bem-estar proveniente do fato de ter seu seio direito discretamente acariciado por Mansinho.

— Aquela vagabunda — disse Dora.

— Esqueça ela, meu anjo — disse Mansinho apertando o bico entre o médio e o indicador.

— Ai, coroa bom, para com isto, para.

— O Bernini não estava — disse Paulino. — Onde estará Bernini?

— O mal de vocês do cinema é a fofoca, a picuinha. Câmaras do Brasil, uni-vos.

— Hegel profetizou que o grande choque da história do mundo se travaria entre a América Latina e os Estados Unidos — disse o Murta.

— Não, tira a mão daí, coroinha. A mamãe aqui fica doida, sabe?

— Será que já tem sol na piscina?

— Assim não se chega nunca.

— O mal não é fazer defunto, é fazer defunto de homem que não seja ruim.

— O ano estava estendido das areias de Ipanema aos rochedos do Leblon e diante do ano morto Iemanjá dá *réveillon*.

— Um espectro ronda a América Latina.

O gesto oratório de Paulino derrubou meia garrafa de cerveja por cima de Geraldino que não abriu os olhos, mas sentiu o frio e a umidade que sentira quando a inundação já tinha entrado igreja adentro. Ele ia sair. Ficasse ali quem quisesse ficar, as beatas, os velhos carolas. Eram os de sempre: a gorda Joana Gorda, Mateus de Armarinho, Joca Macedo, Bastião das Bestas, Maria Filomena. Sentados nos bancos, pés mergulhados na água. Porque as águas cobriam o chão da igreja, encharcando o babado da renda da toalha do altar-mor, subindo pelas pernas dos santos de massa pousados no chão. Um genuflexório já boiava. Joana Gorda que desfiava o terço sentada tratou de ajoelhar para segurar o seu genuflexório. No fundo da igreja a velha Santinha Mastruço e mais três mulheres começaram a puxar uma ladainha. No altar-mor José não parecia mais proteger de Herodes o menino que tinha no colo. Tentava salvá-lo das águas do Mundaú.

"A vós bradamos, degradados filhos de Eva."

Geraldino foi saindo com passo que queria resoluto mas que era travado pela água. Pela porta vinha entrando a cabocla Ermelinda, beata que fazia de graça todos os panos de altar.

"Padre, eu vim me confessar."

"Por vós suspiramos, gemendo e chorando neste vale de lágrimas."

"Primeiro é preciso socorrer os que estão morrendo" — disse Geraldino.

"Eu tenho de confessar" — disse Ermelinda.

"Primeiro os que estão morrendo."

O tocheiro maior, aligeirado pelas águas, hesitou um instante feito uma flor decepada, e virou dentro da água. O pavio aceso chiou ao se apagar.

"Minha filha..."

"A morte da cidade inteira vai cair na sua cabeça, padre Geraldino, se o senhor não me confessar."

"Confessa ela" — disse Joana Gorda, enxerida como sempre.

"Rogai por nós, santa mãe de Deus."

Geraldino afastou Ermelinda, disposto a sair, mas tanto o Joca Macedo como Mateus e D. Santinha apoiaram Joana Gorda, que continuava fincando o genuflexório no chão com os joelhos.

Geraldino se encaminhou num repelão de raiva para o confessionário, a bainha da batina pesada de água e barro.

"Fala, minha filha."

"Padre, o diabo entrou em mim."

"Confessa o que tem a confessar que as pessoas estão morrendo na rua."

"Eu xinguei o santo José. Ele não mandava chuva e então eu xinguei ele."

"Nasceu da Virgem Maria."

"Filho da puta."

"Padeceu sob Pôncio Pilatos, foi crucificado, morto e sepultado."

"Filho da puta" — disse a mulher.

"O que é isso, minha filha?"

"Foi. Foi isso mesmo que eu disse, na cara do menino Jesus."

"Subiu aos céus, está sentado à mão direita de Deus pai."

"Chamei, chamei, sim. A culpa é toda minha e só uma penitência minha pode salvar o povo de enchente."

Geraldino sentiu grande piedade. Como dizer a Ermelinda que tinha insultado uma estátua? Em nome dos vivos. Chuva para bicho, gente, planta. Mas ninguém com a coragem de dizer a ela que José só tinha existido séculos depois de morto. Ele nunca tinha dito, enquanto ganhava a vida à custa dela, como padre.

"Escuta, minha filha, a penitência que eu te dou é a de vir comigo socorrer o povo lá fora. O seu pecado foi cometido por amor a eles, a todos nós. Você rezou com raiva, foi o que você fez. Vai em paz. Eu te absolvo em nome do Pai, do Filho e do Espírito Santo."

"O senhor não pode fazer isso, padre."

Geraldino levantou-se e empurrou contra a água a porta do confessionário.

A mulher o agarrou pela batina e berrou:

"A gente não tem mais padre em S. José das Lajes, povo!"

Cessaram as ladainhas, as preces. Só ficou o enxurro, a água gorgolhando contra os muros, ilhando o altar-mor.

Desfilou no dorso da enchente um tamborete de sacristia, pernas para o ar. A mulher meteu as mãos na torrente que lhe chegava aos joelhos, atirou água para cima.

"Fui eu que trouxe a enchente. Entrei aqui anteontem e xinguei S. José de filho da puta."

Joana Gorda se levantou como se a cadeira tivesse disparado uma mola em suas nádegas imensas. Seu genuflexório virou de costas nas águas.

"Blasfêmia! Sua égua maldita!"

"Que S. José nos perdoe" — gemeu Filomena.

"Castiga ela, padre" — disse Joca.

As mulheres de mantilha se aproximaram.

"Que ela beba a água que chamou."

Joana segurou Ermelinda pelos cabelos. Joca segurou-lhe a cara e empurrou forte. Os cabelos molhados escaparam da mão de Joana e Ermelinda, tombando de costas, deixou-se ficar, pronta a morrer afogada em meio metro de água.

Todos os tocheiros já haviam tombado. A única luz da igreja alagada vinha das velas acesas pelos fiéis no altar-mor. Geraldino de um salto se acercou do altar, puxou pela barra a toalha bordada por Ermelinda. As velas caíram com a toalha e também o santo que se curvou nos ares, menino nos braços, e antes de mergulhar nas águas partiu-se em dois contra a quina do altar. Geraldino enlaçou na escuridão o corpo esquelético de Ermelinda e marchou para a porta da igreja.

— O senhor sabe que é proibido? — disse o tira.

— O quê? — disse Geraldino.

— Isto, seu dorminhoco, cigarro americano. Olha só, Kent.

— Não é meu não.
Isto fez o outro tira rir muito.
— Eu não fumo. Nunca fumei.
— Mas beber, bebe — disse o tira, fazendo o colega rir de novo.
— Olha aqui, seu guarda — disse Aniceto. — Eu telefonei ao Seu Andrés...
— É, a coisa hoje foi feia. Briga, desordem, cigarro de contrabando. Barra pesada.

Dora tinha adormecido, os braços em cima da mesa, e Mansinho continuava ao lado dela, mãos nos joelhos da moça. Mariana bêbeda saiu do banheiro e sentou ao lado dele. Se ao menos aquela noite odiosa acabasse com Mansinho. Dormir ela não ia mais, pois tinha de estar no batente às 10, mas se pelo menos saíssem dali juntos!

— Meu querido, por que é que eu sou tão louca por você, quer me dizer?
— Ah, Mariana, deixa pra lá.
— E você também já foi bem doido por mim.
— Não consigo descobrir por quê.
— Eu sempre achei, meu amor, eu sempre dizia isto, você se lembra. Eu bem que dizia. Sempre dizia.
— Que chatura é essa? Dizia, dizia, dizia o quê?
— Que não via razão para você me amar tanto. Você me amou muito mais tempo do que você costuma, se lembra? E me amou com uma paixão que eu vou te contar.
— Eu?
— Puxa! Você me beijava toda, dizia que não era digno de mim. Eu não acreditava mas queria acreditar e ficava toda orgulhosa.

— Ai, que horror.

— Eu dizia, eu achava mesmo.

— O que, Mariana, o que é que você achava? Que eu era seu amorzinho e que ia viver sempre com vocezinha, numa casinha?

— Eu achava o que você acha agora, mas quando eu dizia você... Ah, sua impaciência, meu amor, sua tesão quando eu chegava ao nosso apartamentinho. Eu não tinha tempo nem de me despir às vezes. Se lembra, meu anjo? Você me sentava na poltrona vermelha, você abria a braguilha, suspendia minha saia, empurrava minha calcinha para um lado e enterrava, enterrava...

— Cala a boca, idiota.

— Eu não tinha nem tempo de chegar na cama e tinha de passar água na minha calcinha e um pano molhado na poltrona.

— Cala a boca, sua porca. Porca!

Depois do vermute os dois tiras comiam bife e bebiam cerveja.

— Desta vez, seu Aniceto, passa. Mas a gente vai ter de explicar lá no Distrito. Vai dar trabalho.

— É, passa, mas o delegado é duro. Quando a gente sai na viatura tem de prestar serviço.

— A mim podem prender — disse Paulino. — Tenho *Salário, preço e mais-valia* no bolso. As prisões do **tzar** também foram a universidade da Revolução.

— Ou talvez a gente leve o distinto aí, para explicar esse papo de Revolução.

— Pode levar — disse Aniceto.

Recostada na cadeira Mariana olhava fixamente a lâmpada em sua frente. Mansinho conseguiu acordar Dora.

— Quedê o Jacques?

Mansinho atirou um guardanapo na cabeça do francês adormecido na mesa vizinha.

— Não sei, acho que o francês se mandou. Vamos ver lá fora. Se ele não estiver eu levo você.

Os tiras foram saindo, com cem cruzeiros novos de João no bolso e com Paulino preso pelo braço.

— À Lubianka, que me importa!

Laurinha olhava morta de pena o rosto desfeito de Mariana enquanto Mansinho saía com Dora, e quando Mansinho levantou o toldo com a mão esquerda segurando Dora com o braço direito, Laurinha viu lá fora que o dia raiava e sentiu o que devia estar sentindo a piscina naquele momento. Aproximou-se de Mariana, sentou-se ao seu lado, embora não pretendesse fazer a besteira de dizer nada, ou pior ainda, de oferecer uma água gelada, uma aspirina, imagine. Limitou-se a segurar-lhe a mão, enquanto Mariana, feia de cansaço, sorriu com boa vontade e a cara dela logo se arrumou, e só quando engoliu forte para não chorar é que voltou a desarrumar-se um pouco, mas muito menos. João ergueu o toldo para saírem e Laurinha perguntou a Mariana:

— Você está de carro?

— Estou, obrigada.

Os que ainda se encontravam no bar retiraram-se num bolo. Os carros partiram no dia claro com aquele ronco surpreendido de automóveis que ainda não dormiram. Mariana foi só. Na esquina, à luz já clara do dia, Mansinho no seu automóvel debruçava-se sobre os peitos nus de Dora, que saíam do vestido. Felizmente, pensou Laurinha, Mariana foi na outra direção. Enquanto aquecia o motor Laurinha afagou os cachos do cabelo de João e fechou a cabeça a tudo que não fossem os minutos imediatamente a vir: a subida da montanha, os pássaros cantando, o verde de Júlio Otoni e do França, e, no fim de tudo, os dois quadrados do lençol branco e da janela azul.

Antes deles saiu o carro da Radiopatrulha, com Paulino dentro.

— Era preciso que a noite tivesse algum herói — disse João.

3

De quando em quando Laurinha ainda acordava de manhã como nos velhos tempos, abrindo os olhos antes de João mas sem despertá-lo, seu homem debaixo do lençol ao seu lado, ela e ele num casulo de linho, latejando nos dois toda a vida de que necessitava. Ainda acordava assim, de vez em quando, mas só durava um instante, até surgirem as sacadas avarandadas, o fundo do pátio, a rua da Relação, a testa curta de Salvador. Era capaz de jurar que com João acontecia a mesma coisa, que ele acordava às vezes alegre e despreocupado, buscando-a na cama, e de repente se ensombrecia, como quem evoca, ao cabo de horas de um sono bruto, alguém querido que morreu na véspera. O que é que morrera aquela madrugada na rua da Relação? Laurinha sabia que espécie de socorro procurava, quando sentia — espreitando-a do vão da janela ou saindo de trás da poltrona — a imagem obscena de Salvador. Menina ainda, ao despertar nas garras de um pesadelo, ficava imóvel, sem sequer enxugar a testa molhada de suor, esperando que na casa começassem os ruídos familiares. Agora, aguardava os ruídos da casa do alemão filtrando-se pela janela, enquanto via por trás das pálpebras fechadas as cadeiras da varanda, para-sóis no gramado, a mesa de pingue-pongue ao lado da porta da garagem, as bolas pensativas boiando na piscina. Deixava a cabeça boiar também no travesseiro.

João se defendia de outra maneira, que talvez fosse apenas a maneira de fugir dela, de libertar-se dela para libertar-se da lembrança. A revolução, fazer a revolução. Não mais discutindo-a e preparando-a em termos de futuro e sim como se a revolução estivesse sentada na sala e à noite se deitasse na cama com eles, entre eles. Quando João tinha recebido, antes da noite na Polícia, o bilhete de Gil despedindo-se da revolução, prometera a si mesmo escrever a Gil uma carta severa, mas não prestara muita atenção aos termos do bilhete, que tinha sido escondido dentro de uma garrafa vazia, no armário da copa. Quando João foi buscá-lo estava quase ilegível, pois ainda havia alguma cerveja no fundo da garrafa. Sobretudo um nome era difícil de entender. Valdive? Valdize? Depois de secar o papel, e usando uma lente de aumento, João reconstituíra o bilhete: "Impossível encontrar Joelmir. Só consegui saber que ele se mandou para a cidadezinha de Miranda. Deixou como referência para encontrá-lo o nome de — Valdoliza?... Valdepiza?... — no Bar Pinguim, Miranda. E peço minha demissão da revolução. Arranje outro homem para Corumbá, se é que faz falta." Pois o bilhete molhado de cerveja se transformara de repente em fonte de angústia e de longas especulações acerca de Joelmir, do mistério da sua retirada para Miranda, do significado do nome de Valdiliza ou Valpoliza.

Se tivesse coragem de puxar de novo o assunto em que ele nunca mais tocara, Laurinha lhe diria que de Salvador e da Polícia só lhe ficara a ideia do sacrifício feito por ele e para ele, que se tivesse tido coragem, no dia da conversa, cada um em sua poltrona, teria falado, dramática e verdadeira: "João, meu corpo já tem sua história de revolução para você e chega, chega, agora chega, olha as medalhas roxas que eu ganhei na luta, as pancadas, os chupões, aquele bruto entrando em meu ventre seco. Me ensaboei no chuveiro, na banheira de água quente, lavei a baba, o cuspe, lavei a revolução toda, e agora chega, chega. Não disse nada de você e de seus encontros, protegi você, menti por sua causa para você se orgulhar de mim e agora chega, pelo amor de Deus." Antigamente, quando algum companheiro balançava a cabeça, dizendo que o Governo Militar era cada vez mais forte e a resistência cada vez mais desmembrada, que as perspectivas revolucionárias eram negras, João, com seu amor pela poesia espanhola, dizia: *Aunque sea de noche*, e ela concordava, fervorosa, mas agora chega, chega, depois da noite da rua da Relação chega, noite em poesia é uma coisa e na rua da Relação é outra.

— Ai, que noite vil, a de ontem! — disse João sentado na cama.

— Puxa, meu anjo, que jeito de acordar. Deita. Descansa mais um pouco.

— Não posso, não dá tempo. Tenho muito que fazer antes de sair do Rio. Agora é a vida, Laurinha, é a grande jogada, a história.

"João nunca falou em história conversando comigo, na cama!", pensou Laurinha. História! A vida mora nas camas, nas salas de jantar.

— Você deve estar exausto, meu bem. Nós fomos dormir dia claro. Descansa mais um pouco.

João puxou Laurinha para si, aninhou-se contra ela, foi sentindo com as mãos o corpo dela ao seu lado. O dia começado assim era o fim da noite com Laurinha, era um prolongamento da força que retirava de Laurinha como se retirasse água pura de uma cisterna. Sabia que por baixo da porta, como um vulto inquietante a espioná-los, estava o jornal, que fazia parte do mundo das lembranças da véspera e dos deveres a cumprir dali a pouco.

Quando acabaram de se amar e João se levantou para o banho de chuveiro, sentiu o ar frio no corpo nu e deu um espirro. Enfiou depressa o roupão, preocupado.

— Acho que peguei um resfriado.

Laurinha sorriu:

— Você não se resfria nunca, meu bem.

— Você comprou minha vitamina B?

— Comprei.

— Olha o Andrés. Um velho forte. Quase morreu de pneumonia há pouco tempo.

O velho Andrés. Nunca mais tinha ouvido gravações de Casals depois que Casals, cansado de esperar a queda de Franco, voltara a tocar seu violoncelo. O apavorante silêncio das cordas de um violoncelo como o de Casals era a única música digna de celebrar a vitória do Mal: era como fechar com cimento nos baixos-relevos de Delia Robbia a boca dos anjos cantores. Andrés lutara nas trincheiras da República e diante da vitória de Franco na Guerra Civil recuperara a fé em Deus, na existência de Deus: mas como quem passa a crer na realidade de um inimigo oculto. O traço mais palpável de Deus na terra era sua constante traição à Espanha, exatamente à Espanha, que tinha, entre todas as nações, ouvidos de ouvi-lo e olhos de vê-lo. Sobretudo amor de amá-lo. Vivia sem empregada, o velho Andrés, porque na sala do seu apartamento insistia em manter de cabeça para baixo um crucifixo.

"Há séculos Deus bate na Espanha", dizia Andrés. "A Espanha dorme com Deus, é a sua barregã, e Portugal lava os lençóis. Como é que você ousa dizer que Deus não existe, João?"

"Não é bem assim, eu..."

"Está escrito no seu livro sobre a poesia espanhola que 'San Juan de la Cruz plantou Deus no chão. Deus é o cedro que ele plantou e que ainda vive no jardim do convento de Granada. San Juan foi o primeiro místico marxista'. O que é que quer dizer essa embrulhada toda?"

"Quer dizer que, transformando poesias populares de amor em poesias do amor a Deus, San Juan foi um místico marxista, que pôs a religião com os pés na terra, o amor começando entre o homem e a mulher para depois virar amor a Deus. A religião, ao contrário desse seu crucifixo, ficou com as raízes na terra. Como o cedro de Granada."

"Não entendo muito bem mas o que você quer dizer é que Deus não existe. Sou contra. A Espanha tem sido escudeira e rameira de quem, senão desse canalha?"

João pensara intensamente em Andrés ao encontrar, meses atrás, em São Paulo, Adolfo Mena, um cubano da classe média, bem-tratado, cabelos grisalhos, mas voltado para a guerrilha e para algo além da guerrilha. Mena o procurava em nome de cubanos com quem João estabelecera ligação. O recado era que o Che estava na América Latina e a ponto de iniciar a grande guerrilha. O encontro com

Mena fora um só, breve, nos fundos de um barulhento e escuro café da avenida São João, durante uma partida de bilhar. Conversaram por cima da mesa, aprontando jogadas, ou enquanto passavam giz na ponta do taco, mas João não esqueceria jamais a autoridade com que o outro falava, e guardava no ouvido o estalo seco das tacadas que dava como pontos-finais colocados no que dizia. Mena não sabia onde ia começar a guerrilha, mas era preciso que os brasileiros estivessem atentos em Mato Grosso, que dispusessem de um grupo capaz de dar apoio quando chegasse o momento. Sabia que havia lá um grupo armado, brizolista, que podia e devia transformar-se num foco.

"Lembre-se, essa é a grande cartada da vida do Che. Se ele tiver apoio no Brasil, na Argentina, no Paraguai, os americanos, queiram ou não, têm de abrir aqui as sucursais da Guerra do Vietnã. Imagina se o Brasil instala um foco, dois, se a guerrilha no Brasil cruza a fronteira, vai ao encontro do Che e..."

"Esplêndido", disse João. "Pena é que não tenhamos uma estrutura já montada. O Partido..."

"Fidel diz que o Partido se transformou numa Igreja mas que a Igreja está ficando cheia de comunistas heroicos."

João jogava com encarniçamento, como se houvesse uma ligação entre o que ocorria naquele retângulo de pano verde e o que devia ocorrer na brenha verde. Armando a tacada falou:

"O importante é saber como vamos nos organizar, entrosar forças."

João bateu mal, a bola espirrou, mas mesmo assim foi tocar nas outras duas.

"Vamos nos organizar assim", disse Mena. "Como sua jogada, meio na sorte e muito na paixão de acertar. Continue jogando, e guarde o seguinte, para sua memória e seu uso. A partir de Corumbá, vocês, brasileiros, podem estabelecer contato com a gente do Che do outro lado da fronteira, em Puerto Suarez. No Café de los Bueyes. Procure Ponce. Se lhe informarem algum dia, em Puerto Suarez, que Blanco está doente, você saberá que as coisas estão malparadas com o Che, que é preciso auxílio urgente."

João concentrava toda sua atenção no que ouvia, olhos presos ao jogo, e quando o outro se despedia falou no seu temor de que fosse impossível organizar em tempo algum movimento importante no Brasil. Então olhou Mena e viu uma fuzilante mas benigna ironia em seus olhos.

"Nós nos conhecemos", disse Mena, "em nosso continente. Não é por gosto nem por lógica que o Che acredita no foco gerando a revolução. Por conhecer sua gente é que chegou à conclusão de que na América Latina o filho há de parir a mãe."

Laurinha, no banheiro, abriu o *box* do chuveiro onde João lavava com energia o corpo forte.

— Você me chamou?

— Prepara minha maleta, meu bem.

— *Sua* maleta?

João riu:

— Não é ainda a viagem grande não. Na grande, para Mato Grosso, você vai. Hoje tenho de dar um pulo a São Paulo.

— João, você viu ontem no bar como o pessoal anda no mundo da lua. Você acha que consegue organizar alguma coisa nesta balbúrdia?

João atirou a toalha a um canto e foi à sala atender o telefone. Laurinha ouviu a voz irritada de João a princípio, e depois a conformada voz de João.

— Era o Mansinho — disse João. — Vinha encontrar comigo mas não pode.

— Por quê?

— Ah, sei lá. Ele está levando a sério o ofício de provedor de fundos, mas também se acha no direito de desmarcar qualquer coisa. Disse que tem um encontro importante. Quer ver minha valise, meu bem?

Laurinha apanhou a valise no armário, o pijama, as cuecas, e foi com esforço que arrumou direito as camisas em lugar de embolá-las de qualquer jeito. Um dia, pensou, seria o dia da mala definitiva, o dia de João não voltar.

— Você não me respondeu, João. Pode-se extrair uma revolução de uma bagunça?

— Me leva até a rodoviária que eu te explico as épocas em que as mães saem do ventre dos filhos.

Mansinho tinha mentido a João. Karin, que regressara na véspera, acordara-o pelo telefone, de manhã. O pior é que a Karin era como aquela suíça que ele conquistara há uns dois anos no bar do Copacabana Palace: tinha mania de andar. Mulher de país desenvolvido era fogo com esse negócio de andar. A suíça andava pela calçada do Forte do Leme ao Forte de Copacabana antes do café da manhã, exercício de que ele não participava, mas depois, quando se encontravam para o banho de mar, só iam para o apartamento dela, no hotel, depois de pelo menos uma caminhada do Lido ao Miramar. Mansinho de início sugeriu delicadamente que a alva pele da moça se avermelhava muito com o sol da hora do banho e que talvez fosse melhor ficarem debaixo do para-sol. Em lugar de seguir seu conselho a suíça resolveu comprar um chapéu de fibra imenso que a sombreava toda, que ondulava graciosamente no ritmo de marcha de suas pernas longas, e que o obrigava a andar a meio metro de distância. Murta um dia os viu de longe e à noite contou no Bar Don Juan que surpreendera na praia Mansinho, escuro e magro, levando a passeio um abajur.

Foi de qualquer forma uma surpresa agradável ser despertado pela voz de Karin. A que horas ele podia ir vê-la, para darem uma volta?

— Passo antes de ir para o jornal.

— Ótimo, vamos dar um giro.

— Passo aí de carro, para te apanhar.

— Pois é, deixamos aqui o carro e andamos até o Arpoador. Fiquei horas sentada no avião.

— Mas está ameaçando chuva.

— Vamos de capa. Em dia cinzento assim é que é bom andar. E vou te contar um segredo. Além do meu estudo sobre as religiões do Brasil, quero me enfronhar mais em vocês aqui no Rio.

— Vocês quem?

— Vocês das esquerdas. Estou fascinada pela movimentação de agora. Vou preparar um artigo a respeito.

— Minha filha, faz um estudo só, sobre macumbeiros e esquerdistas. É tudo o mesmo folclore.

Mansinho descobrira Karin precisamente no dia 31 de dezembro do ano anterior quando, em companhia de Murta, iam para um *réveillon*. Pararam um instante o carro no Leblon para ver a festa de Iemanjá. Era perto da meia-noite e as areias estavam ardentes de velas e cobertas de lírios e cravos brancos, de pentes, fitas e espelhos, de dezenas de terreiros onde São Jorge a cavalo montava guarda a imagens de Iemanjá. Descalça, de *short* e blusão azul-marinho, loura e tostada de sol, Karin passava sonhadora entre os fiéis vestidos de branco que sapateavam na areia e à beira d'água. Mansinho apontou Karin no instante em que ela fuzilava um *flash* para pegar do alto a cara duma negra atuada saindo da renda da blusa como uma cocada em êxtase num prato de louça branca. Murta num deslumbramento marchou para Karin, ajoelhou-se a seus pés, braços erguidos, e bateu três vezes na areia, bradando:

"Iemanjá encarnou! Ela encarnou, saravá!"

Karin se assustou, pôs-se a andar ligeira. Quando Murta e Mansinho tentaram emparelhar com ela era tarde. Linha azul costurando rápida retalhos brancos lá se foi Karin entre os crentes, molhando os pés descalços na fuga quando lhe convinha e valendo-se da exaltação trazida pelos últimos minutos do ano para se dissipar como uma aparição.

"Seu idiota", disse Mansinho, "aquilo é caça que se afugente assim?"

"Gaivotas, gaivotas", disse Murta.

"O quê?"

"Os alvos pés de Iemanjá-fotógrafa passando rente à espuma do mar."

"Vamos embora, seu palerma, que Mariana está me esperando no *réveillon*."

No carro, Murta já estava compondo seu poema:

> *Dançando no gume fino*
> *da meia-noite lunar*
> *fora de qualquer ano*
> *fora do tempo da vida*
> *suspenso em cima de nada*
> *me diga alguém se é da terra,*
> *meu amor, ou se é do mar.*

O baço e tórrido sol de 1º de janeiro começou a saltar do carro da noite cautelosamente, acobertado pela pedra da Gávea, e de súbito, como se fosse da Polícia, invadiu bruto a varanda juncada de bêbedos da casa do *réveillon*. Casais em colóquio perderam a naturalidade, mexeram-se com ar de quem procura os documentos. Mansinho retirou a cara da luz e ia escondê-la no regaço de Mariana quando viu Murta que entrava pelo portão da casa, calças arregaçadas, pés sujos de areia. Foi ao seu encontro.

"Você voltou à praia?"

Murta fez que sim com a cabeça.

"Encontrou?..."

"Encontrei o fecho do poema, um grito de desespero amoroso que me mergulha para sempre na corrente principal da lírica lusa:

> *Ai! amor que não vai sarar,*
> *nascido fora do tempo*
> *que tempo é que o vai curar?"*

"Quero saber se encontrou a mulher."

"A Vênus de Cirene, a Iemanjá de Leica? Claro. Do contrário como é que eu ia achar o fecho do poema? É sueca, fotógrafa e repórter. E louca."

"Quedê ela?"

"Dentro d'água. Estava de biquíni por baixo do *short*. Quis me arrastar ao banho mas eu tive medo da iara."

"Endereço."

"Ali pela Lagoa, apartamento, sei lá."

"Telefone?"

"Telefone anotei."

Mansinho avançou no pedaço de papel que Murta tirou do bolso. Mas foi longo e árduo o cerco de Karin, que garantia, contra todas as informações que correm mundo, que as suecas detestam sexo sem amor. Além disso, gostava de andar de barco e desejava pescar camarões de noite, à luz de archotes. À pesca noturna Mansinho não chegou, mas comprou uma tarrafa e praticou uns dias, água pelos joelhos, lançando às ondas a rede que se abria e que sempre era retirada com areia e conchas. Impressionou Karin moderadamente, ao manejar a tarrafa e puxar a corda com gestos precisos, mas sua inspiração foi pegar um dia no ar uma observação sociológica de Karin, segundo a qual os brasileiros custam muito a convidar pessoas para uma visita a sua casa. Mansinho mobilizou o pai e o irmão Jacinto para receberem Karin para um jantar paraense de tartaruga, pato, e o açaí, que Mansinho arranjou na Gruta do Norte, para fazer o sorvete. Dona Adelaide, amiga e protetora de Mariana, recebeu a estrangeira com uma afabilidade um tanto cerimoniosa, mas o velho Frederico e o rapazola Jacinto sentiram um orgulho tribal ao ver entrar pela porta da casinha da rua do Bispo aquela *viking*. Como se tivesse passado a vida inteira frequentando famílias do Rio Comprido, Karin percorreu casa e jardim, balançou-se na rede da varanda, examinou um diploma de indulgência plenária concedido por Pio XII. Seria até pouco científico — ia pensando Mansinho à medida que Karin percorria sua casa e sua família — essa moça não ir para a cama comigo, truncando uma investigação que marcha de forma tão promissora. Ele atiçou o velho Frederico — oficial reformado da Marinha Mercante — a fazer sua exposição predileta, a comparação entre os defeitos e qualidades dos franceses, ingleses, alemães e russos, de um lado, e de paraenses, do outro lado, concluindo, não sem modéstia, que a evidente superioridade dos paraenses derivava do fato inédito de viverem à margem não de igarapés como o Sena mas de um rio com um escoamento de duzentos e quarenta mil metros cúbicos de água por segundo. *Por segundo!* Permitisse dona Karin que ele chamasse a atenção para o fato de que o volume d'água do Amazonas era sete vezes o do Mississippi. *Sete vezes!* Jacinto falou pouco, entrou em surdina, não enxugou o molho de nenhum prato com miolo de pão e mostrou a Karin o pé de araçá dos fundos do quintal. Não fosse a intervenção de última hora de Mansinho, teria mostrado também, no sótão, os coquetéis-molotovs e as pequenas bombas caseiras que ajudava Mansinho a fabricar. Mas mostrou-lhe uns quadros de protesto que pintava lá em cima e a vista da janela, que antigamente abarcava o canal do Rio Comprido mas que agora morria contra o paredão do edifício ao lado. Dona Adelaide não se deixou derreter porque, quando ia cedendo aos encantos exóticos de Karin, lembrava as olheiras de Mariana, tão dedicada a Mansinho e tão jogada fora. Karin, aliás, teria feito bem em localizar, nos doces olhos castanhos de Adelaide, uma espécie de preocupação por aquela moça que devia ter mãe em algum lugar e que corria tão grandes riscos na companhia do seu filho. O que Adelaide imaginava é que Mansinho herdara do pai a capacidade física de amar: Frederico era como alguém que, condenado à morte, tivesse uma lua de mel a viver até a data da execução. Só que essa tempestuosa lua de mel se concentrava nela. Às vezes era quase uma provação, pelo menos moral, já que ela achava que não estavam mais em idade, ela e Frederico, de tais folganças. Mas seu padre confessor, dos capuchinhos da rua Haddock Lobo, era muito pra frente a achava uma bênção de Deus a persistência da vitalidade amorosa.

"Mesmo quando uma mulher não pode mais ter filho?"

"Principalmente", disse o padre, dogmático.

Adelaide não sabia, no caso de Frederico, se o fenômeno tinha alguma ligação com a rivalidade que ele estabelecia entre o Amazonas e o Mississippi, mas não fazia tanto tempo, ao voltar Frederico da última viagem à Europa, tinha chegado às sete vezes. Mansinho, ao que tudo indicava, distribuía aquela vazão desapoderada por uma infinidade de furos, como o Amazonas nos estreitos de Breves.

Quando estacionou diante do edifício, na Lagoa, Karin já estava na calçada à sua espera, sapatos de corda, um impermeável por cima da roupa de banho e, no bolso, um frasco de prata com vodca.

Escandalizou-se ao ver que Mansinho não vinha de calção de banho por baixo da capa.

— Você não vai cair n'água?

— E você? Está querendo me ver, depois desse tempo todo, ou só quer tomar banho de mar?

No apartamento de Karin tinha uísque, vodca, sardinha e pão. Que besteira tomar banho de mar. Foram subindo a rua Montenegro e, ao chegarem à praia, dobraram à direita. Resignado que estava de andar até o Arpoador, Mansinho se animou, achando que iam parar talvez diante do Country, mas Karin prosseguiu pela calçada. Pelas alturas do cinema Miramar, Mansinho teve uma dúvida atroz. Será que a Karin queria andar pela avenida Niemeyer até o Vidigal, a Gávea, a própria Barra? Karin parou no fim do Leblon e obrigou Mansinho a tirar os sapatos para andarem na beira do mar. Entre as pedras achou flores da véspera, três copos-de-leite de talos amarrados com fita branca. Karin declamou para o mar, restituindo as flores às ondas:

> *Todo coberto de lírios*
> *de velas, fogos e círios*
> *o ano estava estendido*
> *das areias de Ipanema*
> *aos rochedos do Leblon.*
> *Diante do ano morto*
> *Iemanjá dá réveillon.*

— O que é isso? — disse Mansinho.
— Ora! O poema do Murta.
— Você sabe tudo de cor, hem!
— Claro! Pois o poema foi feito para mim.

Mansinho ficou meio amuado. Karin tomou um trago de vodca. Apesar da ressaca, Mansinho, resignado, bebeu também. Estava se sentindo mofado, úmido.

— Por que é que Murta depois começou a fugir de mim? Eu sempre tive tanta vontade de ser amada por um poeta.
— Murta é cineasta. Pelo menos é o que ele diz.
— Quem faz versos é poeta. Onde é que ele anda?
— Em caso de dúvida, procure no Don Juan's. Se formos até lá é quase certo encontrar o Murta.
— Ele me adorou aquela noite na areia, se lembra, de joelhos, e depois deixou a festa e veio me procurar, andou comigo pela praia inteira, recitando os versos que tinha feito. Mas não me propôs nada.

Mansinho deu de ombros. Puseram-se a andar pela beira da praia, Karin apanhando conchas, cantarolando, inventando uma música para cantar com o poema:

Dançando no gume fino
da meia-noite lunar!

Mansinho foi ficando mais emburrado e Karin cada vez mais alegre e cantadeira. Ao passarem pela frente da rua General Urquiza ele propôs que fossem para o Bar Don Juan, mas Karin, sem responder, enfiou o braço no braço dele andando e cantando. Quando chegaram à desembocadura do canal do Jardim de Alá, sentou-se no paredão que avançava pelas ondas cinzentas. Mansinho já tinha molhado as calças até os joelhos e a garoa lhe pingava dos cabelos. Dois desocupados, no paredão oposto, olhavam em frente, ou vagamente estudavam a grande escavadeira empregada no alargamento do canal. Enquanto os trabalhadores, na areia, enchiam a boca com a comida tirada da marmita, a bocarra de ferro da escavadeira descansava, os dentes imensos imobilizados em torno de uma rocha. Karin passou a mão nos cabelos encharcados de Mansinho e tomou mais vodca.

— Fala alguma coisa.

— Você gosta de versos e eu só tenho prosa. De mais a mais você é que deve ter alguma coisa a contar. O que é que fez durante uma semana inteira?

Karin o olhou séria.

— Aproveitei o pretexto de estudar a festa do Círio de Nazaré e fui conhecer a tua terra.

Mansinho arregalou os olhos.

— Você foi a Belém do Pará?

Karin fez que sim com a cabeça e tomou as mãos de Mansinho nas suas. Mansinho teve grande desejo dela e vontade de deitá-la ali mesmo, na areia ou até no dorso do paredão, mas ao mesmo tempo sentiu com certa melancolia aquele princípio de enjoo que sempre lhe davam as mulheres quando passavam do porre da posse e da boa cegueira física inicial para uma fixação de sentimentos. Domesticadas e ciscando o chão até as garças viram galinhas.

Da janela do escritório do Bar Don Juan, Aniceto viu Mansinho e Karin que chegavam da praia e ficou pensando na Da Glória. Que estaria fazendo em Pão de Açúcar da beira do São Francisco, ela da voz rouca e que sabia falar longa e misteriosamente — como se tivesse aprendido a falar com o rio —, mas que era tão breve de carta e de escrita tão vazia? Tinha medo dos escritos.

"Palavra escrita é feito passarinho na gaiola", dizia. "Se um dia eu receber um telegrama me mato mas não abro."

Eram histórias entreouvidas de telegramas anunciando morte e de carta de fundo de gaveta denunciando um dia, já amarela e roída de traça, a infidelidade das mulheres?

"Para que é que você aprendeu a escrever?", dizia Aniceto rindo logo que ela regressara de anos passados na casa dos tios em Traipu.

"Para escrever na areia", disse Da Glória sorrindo, enquanto rabiscava no beiço molhado do rio *Aniceto*.

Ele tinha escrito *Maria da Glória* por baixo e os dois riram, como de tudo riam logo que ela voltara de Traipu. Muito tinham andado aquele dia. Até um barco embicado na areia, com ar de meio sem dono, Aniceto desatracou para um passeio. Depois, andaram de volta, e já estavam quase em casa mas a Da Glória quis refazer todo o caminho, como quem esqueceu alguma coisa. Aniceto não recusava nada a ela, mas não entendeu o capricho, principalmente porque era hora da janta. Voltaram até o preciso local da beira do rio em que tinham estado e ali, com um galho seco que catou, Da Glória apagou por completo os nomes *Aniceto* e *Maria da Glória*. Aniceto sentiu um aperto vago no coração quando viu os nomes virarem na areia um rego vazio e disse:

"Mas daqui a pouco, Da Glória, a língua do rio lambe esses nomes."

Ela agarrou o braço dele, olhou em torno antes de retomarem a marcha.

"Sei lá. Podia secar, virar pedra."

Como pedras para sua fome eram as cartas de agora, lisas e frias. Seixos na sua mão, aqueles breves recados no papel pautado à régua e lápis para que não saíssem da reta as linhas em que Da Glória dava notícia do pai, dos tios, do primo que tinha trazido de vapor um boi de carro lá do sertão da Bahia. Sempre dizia se estavam ou não estavam dando bem a mandioca, o quiabo, as couves, num desespero de ter o que contar sem dizer nada, de encher a folha de papel comprada no armarinho do velho Martiniano de modo que ela ficasse cheia só de caligrafia, de letras, de regos vazios cavados na areia branca do papel entre riscas de lápis.

Mansinho viu Aniceto na janela e acenou para ele. Apesar de já estar de sapato no pé, Mansinho, de calças amarfanhadas, capa molhada e cabelos pingando água, parecia um náufrago que Karin tivesse acabado de salvar das ondas. Aniceto conhecia bem a família de Mansinho e até pedia a Deus que se um dia lhe desse um filho o menino fosse como o Jacinto. Mas tinha suas prevenções com Mansinho. Provavelmente por causa daquele jeito dele de desperdiçar mulheres que fazia Aniceto pensar no fazendeiro e deputado estadual Sesostris Firmino Chagas, que ele despachara desta para melhor com um tiro só no meio das costas por conta do dono da fazenda da Laje, cansado de demandar na Justiça contra Sesostris, que tinha avançado a cerca em terras da Laje. Sesostris era homem de comprar na feira um abacaxi inteiro, ou até uma melancia, e depois de duas dentadas jogava a fruta no chão e chutava, para emporcalhar ela bem e ninguém poder comer. Na festa do prefeito Remígio, que era inimigo político dele e que se cagava de medo quando via Sesostris, ele arrancava uma coxa ou uma asa de cada frango ou galinha-d'angola e jogava a ave no chão para pisar em cima.

— Entra com a gente, Aniceto, a Karin quer conversar com você.

Aniceto veio para o bar onde só havia duas mesas ocupadas e dois sujeitos no balcão tomando uísque.

— A Karin veio lá do Pará, Aniceto, e esteve olhando pajelanças e bruxarias. O João me disse uma ocasião que você conhecia o melhor bruxo da sua terra e que ele tinha posto você à prova de bala.

— Fechou seu corpo, foi? — disse Karin, afeita às expressões corretas, e tomando agora vodca com gelo.

Aniceto riu, como se estivessem falando de coisas sem importância:

— Pois foi, a gente faz muito isto na minha terra, que é terra de tiros.

— Conte, conte — disse Karin.

— Pode ficar tranquila que eu conto, mas é uma história comprida e agora eu estou ocupado demais no escritório.

E Aniceto voltou à carta de Da Glória.

— Acho o Aniceto um homem lindo — disse Karin — mas não parece gostar de louras.

Mansinho deu de ombros:

— Por quê? Por que ainda não te escreveu um poema?

Laurinha levou João e Geraldino até a estação rodoviária, onde tomaram o ônibus para São Paulo. Geraldino ia estabelecer contato com os companheiros de São Paulo, enquanto

João ficaria à disposição dos companheiros que vinham de Cuba e Venezuela. No ônibus, cansado da véspera, João se pôs a cochilar. Sacudido por um espirro, tirou, inquieto, da maleta de mão um cachecol e enrolou o pescoço. Depois enfiou a mão até o fundo da maleta, onde estava sua bolsa de couro com os petrechos de banho e barba e seus remédios de emergência. Tateou em torno, para se certificar de que Laurinha não tinha esquecido os envelopes de aspirina, o enteroviofórmio dos intestinos, as pastilhas para a garganta. Estava tudo lá. João se acomodou com gosto na poltrona.

4

Depois de deixar João e Geraldino, Laurinha, caminho de casa, resolveu parar um instante para ver dona Maria, na Flora de Freixo. Com sua vida de trabalho, e trabalho entre flores, dona Maria era um ponto sólido no vago das coisas. Mas encontrou-a menos animada do que de costume:

— O que é que há, dona Maria? As pessoas pararam de comprar flores?

— Não, minha filha, até que não posso me queixar. Uma nova florista de Copacabana vem se abastecer aqui, e, além disto, houve duas mortes importantes em Santa Teresa.

Quando não conhecia o defunto dona Maria media os enterros pelas flores.

— Foram dois funerais de truz, vendi muito — disse dona Maria, acariciando, como era do seu hábito, a conta de ouro dos brincos.

— Então quais são as tristezas?

— Ah, creio que a idade, o reumatismo, a vida de gente só. Não é nada, não é nada, já lá vão três anos que o meu homem morreu.

— Pois é, eu vivo lhe dizendo para se casar outra vez. Onde anda aquele seu patrício que andou ajudando aí no plantio?

— A menina quer dizer o Quirino?

Quando se encolerizava, o que era raro, dona Maria perdia cor nas rosas do rosto.

— Aquilo é o maior patife que até hoje pisou uma chácara de flores. A menina provavelmente notou que o Quirino me cercava de salamaleques e às vezes até suspirava no cabo da enxada, deitando uns olhos compridos para o meu lado. Eu bem que o achava meio moço para mim, mas, ai-jesus, não fui muito severa com ele não.

— E então?

Havia agora vergões brancos nas bochechas rosadas.

— Então faz uns dois meses me desapareceu o Quirino com a féria da semana, que eu não levara ainda para a Caixa Econômica.

— Dona Maria, não diga!

— Ai, que o digo sim. Mulher depois de uma certa idade está desgraçada. Não fosse o respeito que lhe tenho, dizia-lhe o que penso desde que o Quirino me enfeitiçou.

— Diga, dona Maria, desabafe.

Dona Maria falou, mas agora, ao contrário, o que havia de branco em todo o rosto se coloriu, como uma maçã que amadurecesse em segundos diante de Laurinha.

— Não há pensão de rameiras, de putas com o perdão da palavra, para homens que não têm mulher só com o pedir? Pois por que não há de haver pensão de rameiros para floristas que ainda têm ouvidos de ouvir os Quirinos que andam por aí?

Laurinha foi embora triste com o fim dos amores de dona Maria e Quirino e achando que mais um ponto sólido, nas suas cercanias, ficava assim abalado. Felizmente, pensava ela ao entrar com o carro na garagem do edifício, João nada tinha dito acerca do apartamento. Conservavam o apartamento. Isto significava que, para lá do que devia acontecer em São Paulo, em Mato Grosso, sabe Deus onde, deviam ainda voltar um dia a uma vida normal. Na porta do elevador Laurinha encontrou o zelador do edifício, Martinho, que, por motivos diferentes, também vigiava muito a família do alemão da piscina.

— Dona Laurinha, o dinheiro naquela casa um dia desses começa a entornar pelas janelas. Estão de automóvel novo. E não venderam o Opel não, hem.

O tempo ainda estava encoberto mas não chovia mais e fazia calor. Apesar de ainda haver uma boa hora de luz do dia pela frente o alemão acendera as luzes ocultas na jaqueira e na mangueira e as da própria piscina que faziam reluzir, nos quatro cantos, os bichos de bronze que esguichavam água. Quando Laurinha escancarou a janela a meia-luz opaca variava os verdes do jardim e marcava nas árvores o rosa-avermelhado dos gravatás em suas folhas escuras.

No gramado em torno da piscina Karl e Amelinha se perseguem aos berros, mas mesmo seus gritos chegam a Laurinha informes. Na varanda, de pé, a figura branca e rosa do alemão, sapatos de tênis, bermudas brancas, cabelos brancos, vermelho de cara, imóvel, como se da sua imobilidade atenta dependessem a piscina, as árvores, as crianças e o salto que agora dão as crianças para dentro da piscina onde flutuam a grande bola colorida e o jacaré de borracha. Laurinha se sente entrar na atmosfera da cena como se tivesse também um papel obscuro na vigilância desse mundo de graça. Karl e Amelinha estão por um momento quietos, agarrados ao jacaré, a bola mal se move, como uma estranha planta que finas raízes prendessem ao fundo da piscina, ou que ali se mantivesse por ordem do velho que a tudo presidia da varanda como uma estátua branca e benigna. Laurinha vai se afastar, pé ante pé, sentindo que não deve durar no rio do tempo tanto equilíbrio, tanta trégua. Apoia as mãos no peitoril da janela para recuar às sombras do quarto. Súbito, dos fundos da casa do alemão o jorro de alegria triunfal selando o jardim, a piscina, o velho, as crianças, como um friso de ouro emoldurando um cromo. *Eine kleine Nachtmusik.* Laurinha deita os braços no peitoril da janela e neles repousa a cabeça, olhos fechados.

Tarde da noite, nesse mesmo dia em que parecera a Laurinha só existir beleza na casa do vizinho, João lhe telefonou de São Paulo, e falar com ele foi uma restituição da beleza à sua vida:

— Meu amor, sou eu — disse João.

— O que é que aconteceu? Alguma coisa ruim?

— Houve, meu amor, uma saudade de você imensa, amalucada. Por que é que eu vim só com o Geraldino?

— Meu anjo, você ia tão rápido e voltava logo.

— Ainda vou ficar aqui dois dias, e não aguento mais. Toma o primeiro avião que você puder amanhã de manhã.

— A que horas é o primeiro?

— Sei lá, eu vou para o aeroporto às seis da manhã e fico te esperando. *Descubre tu presencia. La dolencia de amor no se cura sino con la presencia y la figura.*

— Eu vou no primeiro avião, meu doido adorado. Confere a hora com a ponte aérea.

Karin acordou no ar refrigerado do quarto sombrio, persianas arriadas, e viu nos ponteiros luminosos do despertador na mesa de cabeceira que eram 11 horas da manhã. Mansinho tinha prometido sair quando ainda estivesse escuro, mas só saíra às 5 do dia. Afastou de pronto o lençol e saltou da cama. Ao sair do quarto sentiu o calor do dia e vontade de tomar — mas não de fazer — café. Abriu a geladeira à procura de uma fruta, mas só encontrou numa garrafa um resto de extrato de maracujá, que misturou com água gelada e tomou sem açúcar, gostando do frio e do ácido. Enquanto bebia manteve aberta a porta da geladeira e sentiu, com um calafrio, um cheiro de podridão, de morte no ar. Olhou dentro da geladeira. Estava quase vazia. Um pé de alface, já meio marrom. Levantou um prato que cobria outro, que só continha um pedaço de goiabada e de queijo de minas, o queijo duro e gelado, sem cheiro. Além disto e do suco de maracujá, duas cervejas no congelador, empoadas de neve. Meteu a cabeça bem fundo na geladeira, farejou como um cachorro, retirou a gaveta de baixo do congelador, cheia de água, escoou a água na pia, cheirou a gaveta, enxugou-a. Quando fechou a geladeira flutuava no ar, na casa, o fedor. Foi ao banheiro, limpo, pias, latrina, tudo limpo. Lavou o rosto, passou uma escova no cabelo. Abriu a janela da sala para purificar o ambiente. O dia era de uma beleza desmedida e chocante, uma espécie de paisagem suíça desvairada: o Corcovado de pedra roxa e mato azul, o penedo em frente coroado de barracos, meninos pretos jogando bola de meia na beira do lago, ao redor do lago a coroa de chamas dos *flamboyants*, os carros de luxo fagulhando ao sol. E o lago, a lagoa Rodrigo de Freitas cintilando como Karin jamais a vira. Esfregou os olhos. O lago estava coberto de prata, uma armadura de prata, despedindo raios de prata. Em cada crespo de cada modelagem de vento a aplicação de prata. Coalhado de prata. Pairando sobre a despudorada beleza de tudo — o fedor. Karin enfiou um *short* e uma blusa, atravessou a rua até a beira do lago. Viu então que a prata sólida, o escudo de prata da lagoa eram peixes mortos, dezenas, centenas, milhões de pequenos peixes mortos cujas escamas chispeavam ao sol. Feito um lago europeu no inverno, só que sólido de morte, congelado de peixe morto. Passam os carros, as camionetas, os ônibus mas ninguém parece ver. Um homem do povo vai a pé pela beira da Lagoa e Karin o detém, aponta as águas sólidas.

— O que é que aconteceu?
— O quê? — diz o homem admirado, que depois sorri.
— Ah, os peixes. Tudo morto.

Karin voltou para casa, discou o número de Mansinho, que atendeu com voz sonolenta.

— Desculpe, meu bem — disse Karin —, mas aconteceu uma coisa terrível aqui na Lagoa.
— O quê? Depois que eu saí?
— Sim, deve ter sido. Não sei bem quando.
— O ônibus bateu no caminhão, que bateu no volkswagen, há quatro pessoas mortas no meio da rua, o tráfego parou, à espera que chegue a perícia para dizer se o culpado foi o fusca, o caminhão, o ônibus, os cadáveres, o...

— Não brinca, Mansinho, aconteceu não sei o quê. O rádio deve ter dado. Uma coisa terrível. Morreram milhões de peixes de repente. E eu já vi crianças da favela apanhando peixe morto.

— Ah, isso? — disse Mansinho.

— Você já sabia?

— Acontece sempre — disse Mansinho bocejando. — Uma vez por ano.

— Uma vez por ano? Não fica aí de troça, meu bem.

— Uma ou duas, acho que às vezes duas.

Karin ficou um instante em silêncio.

— ...o que é que fazem?

— Vêm os caminhões da Limpeza Urbana e carregam os cadáveres.

— Não me diga. O que é que mata os peixes?

— Hum... Parece que uma porção de coisas. Lembra do canal onde estivemos ontem? Pois é por ali que a Lagoa se comunica com o mar. Como você vê, a escavadeira não estava lá à toa. De vez em quando a areia entope o canal. E também não há peixe que tenha estômago para aguentar a sujeira que escorre das favelas, a merda dos favelados. E acho que também tem um esgoto ou outro desembocando lá. De vez em quando os peixes protestam, fazendo haraquiri. Está fedendo muito aí?

— Medonho — disse Karin —, estou enjoada. Vou tomar vodca em vez de café.

— Não consigo imaginar mau cheiro onde está você, Karin, tão pura e fresquinha.

Mansinho lembrou a cara saudável, os seios pequenos e resolutos, as pernas firmes, de doces músculos.

— Você vai jantar comigo quando eu sair do jornal, de noite. Alô! Você está me ouvindo?

— Estou. Está bem. No Don Juan?

— Sim.

— Se ainda ficar aí meia hora, você perfuma o bairro inteiro. Você tem um cheiro de praia grega do século IV antes de Cristo.

Karin desligou o telefone sentindo-se seriamente em dúvida. A ideia dos países já prontos, como o seu, dava-lhe um cansaço invencível. Antes de entrar no chuveiro olhou-se nua no espelho do banheiro e gostou do que viu. Tinha recuperado, ou adquirido, consciência do seu corpo. Na Suécia estavam todos ficando nus para isto, mas era tarde, o nu tinha uma naturalidade esterilizante, como se via pelo monumento da mulher nua no meio de uma praça em Estocolmo, com entrada pela vagina e com bares e bibliotecas do lado de dentro. Karin queria ficar no Brasil, mas, de repente, aquela Lagoa — que queria dizer a Lagoa? Acabou de se vestir, enfiou mudas de roupa numa sacola, saiu para a calçada respirando o mínimo possível de ar. Chamou o primeiro táxi que passava.

Estava o Murta convencido de ser provavelmente o único ser vivo a ter senão a honra pelo menos a originalidade de dever sua conversão a Mansinho: fora por ele convertido à ação revolucionária direta. Mansinho viera com o intuito exclusivo de transformá-lo em chofer da revolução, mas começara astuto, manhoso, desmoralizando Murta como falso subversivo, como cineasta que não fazia filmes, poeta amoroso que não amava ninguém. Depois entrou no assunto, rindo sua risada sincopada, em três tempos:

— Nós somos mesmo uns merdas, uns fracassados.

— *Nós?* Que problema tem você? Para começar, come todo mundo, apesar desse físico lamentável.

— Bem, isto até que era a única parte séria da minha vida anterior. Eu acho que no Brasil, na América Latina inteira talvez, a gente não vai adiante por causa desta mania de mulher. Precisamos acabar com isto, banalizar ao máximo a coisa. Trepar deve ser considerado uma prova de civilidade apenas mais íntima do que o aperto de mão, digamos. E novas atitudes culturais só se provam mediante o exemplo.

Murta imitou a risada galhofeira de Mansinho:

— Mansinho, o mártir do coito. Vai salvar o continente como um Quixote de pica em riste.

— Bem — disse Mansinho irritado —, se é para ficarmos apenas zombando um do outro, vou embora. Vim aqui bater um papo da maior gravidade.

— Perdoai-me, senhor cavaleiro do fálico estandarte, e falai que eu vos escuto.

Mansinho ficara realmente sério:

— Eu um dia, como jornalista, conversei com o Comandante Galvão, quando ele esteve no Brasil depois de apresar em alto-mar o navio *Santa Maria*, você se lembra? Pois o português me disse: "Se me arranjarem dez mil dólares, tomo Portugal." Não acreditei na cifra e é claro que só os dólares não fazem a revolução. Mas a gente padece de um excesso de ideias e de uma escassez de dólares, isto é, da base para realizar a propaganda, a educação revolucionária. João, por exemplo, tem um ímpeto de líder e a consciência do que estou dizendo, mas às vezes mal arranja dinheiro para ir conspirar em São Paulo. Assim não vai, Murta. A receita ainda é a de tirar de quem tem para dar a quem não tem. Você reparou como o pano de fundo de tudo que acontece no mundo é a ideia revolucionária?

— Um *hippie* iluminado disse que agora que perfazemos três bilhões de homens na Terra somos todos aqueles que viveram desde o início dos tempos. Estamos todos reunidos. É o apocalipse, Mansinho, o milênio.

— Eu já dei mais de dez mil dólares ao apocalipse. E você?

— Deu dez mil dólares como?

— Quer guiar um carro para mim amanhã? Talvez a gente recolha, em três minutos, a soma de que precisava Galvão para tomar Portugal.

— Mas o que é que eu tenho de fazer?

— Guiar num fusca chapa fria eu e mais dois companheiros. Num outro carro vão outros dois.

— E onde é?

— Banco Andrade Arnaud, ali na rua Visconde da Gávea, perto da Central.

— Visconde da Gávea é aquela ruinha que fica encostada no Ministério do Exército?

— Entre o do Exército e o do Exterior. Ao lado de uma Delegacia de Polícia.

— Não brinca!

— Não brinco não. Foi escolhido exatamente devido às suas condições ideais de impossibilidade. Nem os milicos e nem a Polícia imaginam um assalto ali.

— Nem eu.

Era um novo Mansinho que falava, frio, olhos duros, gestos exatos. Não adiantava fazer graça. Murta não queria acreditar, mas era forçado. Preferia imaginar que no dia seguinte Mansinho, antes de ousar tal assalto, se borraria nas calças, mas sentia que não.

— Você pode vir? Meu chofer de assalto foi apanhado anteontem pela Polícia do Exército. Um estudante de medicina.

— Então não adianta.

— Adianta. Ele levou umas porradas e uns choques elétricos, mas não abriu a boca. Tomaram o depoimento e soltaram ele, convencido de que era papo-furado a denúncia do puto que o denunciou. Só que agora seria imprudência ele comparecer. Vem, Murta, por favor.

O novo Mansinho tinha de dar um novo Murta, não era possível, pensou o Murta. Disse que ia. E foi. Graças a Deus o dia estava tórrido porque, mesmo assim, Murta ao volante se controlava para que os dentes não se entrechocassem de frio em sua boca. Mansinho, ao seu lado, acendia um cigarro depois do outro, mas com mão firme, tranquilo, conversando com os companheiros que iam no banco de trás. Quando Murta encostou o carro, Mansinho, que olhava o relógio, piscou o olho para os companheiros, satisfeito ao ver que outro fusca acabava de parar e dois rapazes bem trajados entravam no banco. Mal haviam desaparecido na porta, Mansinho e seus dois companheiros fizeram o mesmo.

— Não desliga o motor que a gente volta já — disse Mansinho.

Murta soube depois que o tempo de espera não ultrapassara três minutos e meio — tempo de botar todos os que se achavam no banco dentro do banheiro e de limpar a caixa —, mas para ele o mundo havia parado e o tempo soldara-se na eternidade. Desfilavam ao seu redor, um por um, para seu exame detalhado, os três bilhões de homens que haviam vivido desde os tempos do Tigre e do Eufrates, na Mesopotâmia original, até os seres nascidos em Brasília. Ao sentar de novo ao seu lado, Mansinho lhe dera uma valente cotovelada, para que seu pé apertasse o acelerador e o fusca rodasse pela frente da sentinela do Ministério do Exército e tomasse o rumo combinado do túnel da Gamboa, que ao Murta pareceu mistagógico e vaginoso, como se pelo sombrio tubo regressasse ele próprio da Mesopotâmia em nova encarnação.

5

Maldonado — a menos que andasse sempre assim — vestira-se positivamente de pintor para se encontrar com João na manhã seguinte, no Museu de Arte de São Paulo. Seus cabelos compridos e grisalhantes caíam sobre o colarinho de longas pontas, e com a gravata *lavallière*, verde, vestia casaco cor de fumo e calças de veludilho mostarda. Mirava os quadros de longe, apertando os olhos, comentava os volumes amassando o ar com os polegares, depois se aproximava o mais que podia da tela para dissociar as tintas e refazer desde a primeira pincelada o trabalho do pintor. Adentrou-se tanto num Matisse de torso grego e jarra de flores que quando se afastou parecia haver menos flores na jarra. Sobretudo quando, perto de João, falava baixo e consecutivamente, fazia a meio metro dos quadros gestos de quem separasse formas e as voltasse a reunir para mostrar como as imaginara o artista e como as compusera afinal — mas na realidade unia e desunia os acidentes de uma áspera geografia, movimentando nela um minúsculo grupo de guerrilheiros a buscarem no *canyon* de Ñancahuazú uma saída para centenas de milhões de homens demasiado fracos de corpo e débeis de espírito para se porem de pé e marcharem também. Dez, vinte guerrilheiros, aos dois punhos da rede monstruosa em que dormem amontoados os seres que vivem entre a fronteira norte do México e a ponta da Patagônia, tentando fazê-la passar por um desfiladeiro. João absorvia os pormenores da posição estratégica da guerrilha para comunicá-la aos companheiros. O panorama sombrio adquiria na exposição de Maldonado a solidez dessas maquetes de batalha: centro da Bolívia marrom e verde entre o rio Grande em azul e a zona de Santa Cruz de la Sierra, com torres de petróleo em branco, umas trinta boinas pretas guerrilheiras da vanguarda de Miguel, da retaguarda de Joaquín, do centro do Che, já dizimadas por dentro e perdidas entre si, e apertando o cerco em torno delas milhares de soldados bolivianos, em amarelo, com seus cães, em branco e preto.

— Quase tão ruim quanto a apatia dos camponeses bolivianos é a impassibilidade dos países vizinhos. Dos revolucionários, quer dizer, porque Onganía, Stroessner, Costa e Silva estão atentos. De Mato Grosso seria possível...

— Eu estou partindo para Mato Grosso — disse João.

Insensivelmente ele e Maldonado haviam parado diante da *Anunciação* do El Greco, com a Virgem que se alonga para conter o longo Cristo futuro, em elaboração na cabeça do pintor.

— Vá rápido, veja se é possível organizar no Brasil um movimento na fronteira da Bolívia.

Uma pergunta dispensável, mas João tinha de fazê-la:

— Há algum brasileiro na guerrilha?

— Nenhum. E o importante — disse Maldonado com uma sombra de ironia — é que haja brasileiros no Brasil, que se forme uma guerrilha *aqui*.

— Temos em Mato Grosso o grupo do ex-sargento Joelmir, aguardando ordens de Montevidéu. Ele pode criar um foco em território brasileiro enquanto outro grupo nosso atravessa a fronteira e junta-se ao Che na Bolívia.

Que certeza tinha ele do que dizia? Que certeza tinha sequer de encontrar Joelmir? Podia ver que Maldonado se animara com a menção da guerrilha de Joelmir em Mato Grosso.

— Algo assim nos prometeram — disse Maldonado.

— Bem — disse João —, ainda que isto malogre eu estou disposto a atravessar a fronteira e...

Maldonado balançou a cabeça, seguindo com a mão o movimento da Virgem, que se afina para o alto, enquanto o anjo diante de sua transfiguração parece sentir o peso das asas, a atração da Terra.

— O risco é imenso e o resultado muito duvidoso.

Como João não respondesse, ele suspirou, despedindo-se e dizendo:

— Bem, se algo assim for tentado, entre na Bolívia por Puerto Suarez. Eustáquio lhe dará os detalhes.

Eustáquio tratava em São Paulo do transporte de armas e João teve pena de não conhecer melhor aquele guerrilheiro com seu passado de Sierra Maestra. Já ferido na guerrilha da Bolívia, convalescera em Cuba e regressava ao fogo agora, por Puerto Suarez, com armas e munição. Depois de ouvir os detalhes da travessia de Puerto Suarez, João reparou que a cara cabocla de Eustáquio não se abria no grande sorriso de costume.

— Você hoje não está alegre como sempre, companheiro — disse João. — O ferimento lhe faz mal?

— Qual nada, é que eu bebi umas cachacinhas ontem depois de conversar com o companheiro Geraldino e acabei com uma puta, numa pensão.

— Isto não é grave — disse João. — Daqui a pouco você volta ao fogo da guerrilha, onde não tem mulher nem cachaça.

— Mas é isto que atrapalha, a mulher e a cachaça. Quando a gente nunca esteve na guerrilha, não tem importância. Mas imaginar os companheiros na selva sem saber o que vão comer no dia seguinte, sem nem saber se vão ter água no cantil, enquanto a gente se enche de cachaça e rola na cama com uma puta, é feito uma traição. Fiquei pensando em Benjamin, nosso primeiro morto na guerrilha. Foi em fevereiro, quando chegamos ao rio Grande e procurávamos o rio Rosita. Ele tem de seu natural as águas meio rosadas, mas para mim aquela cor é o sangue de Benjamin, pois só encontramos o Rosita depois que ele despencou do alto de um penedo dentro do rio e sumiu nas águas encachoeiradas. Quando pensei nele ontem de noite nem perguntei o nome da puta, com medo que fosse Rosa, Rosita. Ele bem que falava em mulher, Benjamin, que era fraco nas marchas, mas corajoso, macho. Uma traição.

Ficaram os dois em silêncio. João tinha entendido tão bem o que Eustáquio sentia que não teve ânimo de consolá-lo. Eustáquio voltou a falar:

— Uma traição assim pelo menos apenas aflige e abate a gente. Tira o sono uma noite, até que passa a ressaca e a gente resolve que a vida é isso mesmo, que a gente é de pouca valia e que afinal de contas prejudicar não prejudicou. Hoje já durmo bem, conformado em ser Eustáquio. Quando a gente se conforma em ser a gente mesmo a gente dorme. Mas será que Mário Monje consegue dormir alguma noite da sua vida?

João olhou Eustáquio, meio espantado com o nome desconhecido atirado à conversa.

— Monje é o homem do PC na Bolívia — disse Eustáquio. — Só ajudava a gente se fosse ele próprio o chefe da guerrilha.

— O Partido ficou neutro? — disse João.

— Tomara que só fique neutro. Foi logo que a gente chegou a Ñancahuazú que ele veio ver o Comandante. E o que é que ele tinha a propor? Que o Comandante não fosse o Comandante. O Comandante seria Mário Monje. Como sabiam que o Comandante não ia aceitar uma coisa dessas, devem ter inventado a proposta para conseguir o que queriam: não ter nada que ver com a guerrilha.

João viu a guerrilha buscando seu caminho no sertão bruto e desconhecido como uma primeira ideia articulada esgueirando-se entre as cóleras e medos duma cabeça de selvagem.

— Bem — suspirou Eustáquio —, é bom a gente pelo menos saber a posição dos outros. Se a indiferença ou até a hostilidade do Partido resultar na formação de guerrilhas de apoio aqui no Brasil, por exemplo, nós já somos o novo partido. E com o Comandante à frente a guerrilha triunfa. É matemático.

Na véspera, pronto a encontrar João na manhã seguinte, Eustáquio se encaminhara ao seu hotelzinho mas não teve ânimo de entrar. Pôs-se a andar pelas ruas do centro, em busca de algum café de balcão vazio onde pudesse tomar uma talagada do áspero rum brasileiro sem que algum beberrão desocupado puxasse conversa e lhe notasse o sotaque e ele tivesse de dizer que era uruguaio ou argentino com medo que descobrissem que era cubano. Com medo principalmente de ficar com a língua desatada e de falar em Lindalva ou até no Comandante. Deus o livrasse. De mais a mais, para que beber quando sabia que não ia beber uma dose só e que de pronto começaria a ver suas ideias da revolução empurradas para o fundo da cabeça, enquanto o lugar dessas ideias era tomado por lembranças de Lindalva e as lembranças por bananas, odiosas bananas, bananas, bananas e mais bananas levadas em cestos para a casa de Romero Cuevas e de sua mulher Lindalva, aquela que antes de existir devia ter sido batizada Lindalva, tão linda era e de pele tão alva.

— Cachaça — pediu Eustáquio ao botequineiro.

Só havia dois fregueses no fundo da espelunca e Eustáquio estava resignado a passar, antes de ir dormir, pela conhecida estrada de sua memória que desembocava sem falha no delírio do bananal e que depois o adormecia compassivamente no chão duro da serra. Era uma viagem estabelecida, com suas paradas e até seus acidentes. Um delírio familiar. À primeira carraspana dos seus dezesseis anos devia a vida, pois graças a ela seu amor secreto por Lindalva em lugar de estourar um dia no seu peito saíra de dentro dele em confissão molhada de rum, lágrimas e vômito. Os amigos tinham recebido a confissão e até seu pai soubera dela com grande preocupação, dividido entre o orgulho de saber que o filho sofria paixão de homem e o medo de perder o emprego, já que Lindalva era mulher de Cuevas, seu vizinho e seu patrão, dono do bananal em que além do pai já trabalhava Eustáquio também.

— Outra cachacita — pediu Eustáquio.

Agora, a imagem de Lindalva, vista exatamente seis vezes, ao sair da missa, a mantilha negra menos negra que os cabelos, os olhos negros postos no chão, sem dúvida por ordem do marido sessentão e gordão, que não podia correr o risco de ser por Lindalva comparado a qualquer outro. Ou talvez, simplesmente, para proibi-la de acaso ver Eustáquio desfeito e sem fala. Teria Lindalva sabido do seu amor? E Romero Cuevas? Ah, quem poderia dizer se até hoje, guerrilheiro e conspirador bebendo cachaça em São Paulo, Eustáquio mesmo não sabia? Da grande casa sombria e senhorial, que se perdia em cem hectares de bananeiras, não saíam nunca, o Cuevas e Lindalva, e só recebiam o juiz, o promotor, o pároco.

Bebida rapidamente a terceira cachaça Eustáquio hesitou e hesitou antes de pedir a seguinte, já que por trás do botequineiro que cochilava havia um São Jorge de gesso diante do qual ardia uma vela e Eustáquio começava a ver a vela como uma banana incandescente. Mesmo assim pediu a cachaça e concentrou a lembrança na última vez que vira Lindalva de vestido azul, com a igreja branca por trás e o pé de acácia em flor à sua direita, mas viu que era inútil porque, já agora, a torre da igreja era uma banana e os cachos de acácia eram pencas de banana. A lança de São Jorge também e até a língua do dragão. Eustáquio teve de falar alto para acordar o taverneiro:

— *Despierta, hombre. Un ron.*

A cara espantada do botequineiro levou Eustáquio a deter sua alucinação com um esforço de vontade firme mas delicado como seus gestos de outrora, quando levantava uma penca madura demais com extremo cuidado para que não se desprendessem os frutos: assim reuniu outra vez dentro de si mesmo as bananas que dançavam pelo botequim e pagou a conta, depois de virar a última cachaça. O jeito era ir às putas e cevar-se numa mulher qualquer como fazia em sua cidadezinha quando tinha começado a estender pelos dias da semana o rum dos sábados. Eustáquio saiu do botequim rumo à pensão de putas sentindo-se gordo, examinando os bolsos do paletó que imaginava cheios de bananas, e quando sentou à mesa para olhar as mulheres, a cerveja que bebeu sabia ao licor de banana que sua mãe servia às visitas. Duas das mulheres afastou logo de sua cogitação com raiva pois eram claras e tinham cabelo preto, o que sempre lhe parecia insolência e desrespeito. Convidou à sua mesa uma mulata, que encomendou um conhaque, e quando foi com ela para o quarto e ela ficou nua Eustáquio deixou reviver o horror que tinha crescido dentro dele aos poucos quando trabalhava no bananal: Lindalva presa na casa com o velho Cuevas que a possuía com dezenas, centenas de bananas plantadas por ele, Eustáquio, pencas e pencas de sua força de homem que entravam pela casa adentro, abarrotavam o quarto de dormir e que tornadas vivas com seu desejo...

— Presta atenção, meu moreno — disse a mulata.

Eustáquio fugira de casa para não continuar cultivando membros para Romero Cuevas. Fugido não era bem o caso, pois sabia que o pai tinha fechado os olhos e sem dúvida lhe dado a bênção para que partisse depois do dia em que Eustáquio num acesso de fúria tomara dum machete e destruíra pencas e pencas de banana dizendo que estava capando Cuevas. Saiu pelas estradas bebendo rum e marchando rumo à zona canavieira como quem bebe pelo caminho as águas de um rio esperando chegar às nascentes: queria entrar inteiro num tonel de rum e fechar a tampa. Algo assim teria feito se não encontrasse um dia entre os que cortavam cana ao seu lado os dois camaradas que lhe falavam em voz baixa sobre a luta nas montanhas e que descreviam a serra com tão persuasivo amor que ninguém deixaria de ver na serra uma representação do amor de que fosse capaz.

— Você é bom de cama, moreno, mas fica lá nas nuvens — disse a mulata.

— Nas nuvens não digo — disse Eustáquio mais pacificado —, mas no alto da serra sim. Enquanto eu fui subindo, na primeira noite, o chão era duro. Mas quando deitei para dormir ficou macio como o seio de Lindalva.

— Quem é a cara? — disse a mulata.

— E não é só isto — disse Eustáquio tentando se equilibrar no meio do quarto enquanto enfiava as cuecas. — Quando a gente cola o ouvido naquele chão tem a impressão de que estão caindo e morrendo todas as bananeiras do mundo.

Mariana ainda esperava que a dissolvente bagunça brasileira liquidasse o projeto da ida a Mato Grosso, mas ia cumprindo sua parte do combinado. Telegrafara a Gil em Corumbá: "João e filhos desejam visitá-lo propor negócio e pedem extraia você resposta rápida afirmativa." Depois tinha pedido férias na repartição, para ir a Mato Grosso, pensando com amargura nos revolucionários do Brasil: tirava férias para fazer a revolução. Mariana preferiu não ir direto ao seu apartamento. Temia que Gil não respondesse ao telegrama, como não tinha respondido a um de João, de quinze dias antes. Resolveu cumprir sua servidão, indo à casa de Mansinho. Desculpou-se dizendo a si mesma — em parte era verdade — que queria ver Jacinto e dona Adelaide, para não falar no velho Frederico, que, depois de aposentado, só pensava em voltar à Amazônia para refazer o itinerário de Alfred Russel Wallace e provar para sempre que ele, e não Darwin, tinha feito primeiro a descoberta da origem das espécies. Para provar, em suma, que a grande ideia da evolução era fruto do rio Amazonas. Na rua do Bispo, como sempre lhe acontecia, sentiu-se envolvida na teia das suas dúvidas, do seu remorso de, quando pensava em Gil, sonhar com a morte de Mansinho.

— Mariana! — disse Jacinto. Há que tempo você não dava as caras.

— Veio jantar, não veio, minha filha? — disse dona Adelaide.

Como se sentia bem naquela casa, mesmo sem Mansinho. A si mesma disse até com rancor que o defeito da casa residia exatamente em Mansinho. Jacinto era a compensação exigida pelo equilíbrio das coisas: tinha o charme de Mansinho e a doçura natural de dona Adelaide. Mansinho vivia a querer provar alguma coisa, afirmar-se de algum modo. Sua preocupação atual residia em demonstrar que era o único revolucionário de verdade do grupo inteiro.

Continuava no seu jornal burguês — tal como ela continuava na sua repartição governamental — e inventara uma reportagem a fazer no Pantanal — como ela tomara férias — para poder fazer a revolução e voltar ao emprego de redator e cronista. Mas quem o ouvisse falar! Era o tal. Era um senhor Lênin, só que refocilando em dez Krupskaias de cada vez. Mariana deteve aquele enxurro de ressentimento.

— Eu estava morrendo de saudade de todos, mas tenho andado tão ocupada.

— Puxa, Mariana — disse Jacinto —, você ainda nem viu a minha série de gravuras. Outro dia...

Jacinto ia dizer que Karin admirara as gravuras, mas se deteve em tempo.

— Vem cá em cima ver — continuou Jacinto.

— Sobe — disse dona Adelaide a Mariana —, enquanto eu melhoro o jantar. Vou fazer uma fritada de camarão.

Uma das alegrias da vida de Mariana era acompanhar o florescimento da pintura de Jacinto. Ela própria, anos atrás, tinha dado ao garoto, que era então Jacinto, massa para esculpir, aquarela de loja de brinquedo, tubinhos de óleo que ele pedia — e até hoje guardava extraordinárias amostras desse tempo, com medo que fosse uma fase precária e que o talento do menino se esvaísse com o buço. Mariana conhecia as pastas, os álbuns, os baús em que Jacinto guardava a produção recente. Enquanto Jacinto tirava de um armário cartazes incendiários que fazia, para passeatas, Mariana descobriu uma maleta que não conhecia, preta, compacta, e abriu o fecho. A mala continha pacotes, pacotes e mais pacotes de cédulas de dez cruzeiros, solidamente comprimidas. Jacinto, como se de repente se lembrasse de algo que

Mariana não devia descobrir no canto em que se achava, chegou ao pé dela. Mariana olhava para ele, espantada.

— Chiu! — exclamou Jacinto. — Fecha isto de novo e esconde, Mariana.

— De onde é que vem essa dinheirama toda?

— Essa — disse Jacinto com ar triunfal — vem do tal de Andrade Arnaud. Ainda não foi encaminhada.

Mariana sentiu uma fraqueza nas pernas. Então, quando falava em assaltos Mansinho estava realmente assaltando!

— Jacinto, você não está metido nisto, está?

— Ainda não, mas para o ano Mansinho promete que me leva. A gente tem de preparar a revolução, não tem? Papo só não resolve. O Murta desta vez foi com Mansinho. Correu tudo na maior ordem. A turma está ficando o fino. Da outra vez, lá na Piedade, o guarda que morreu deu um tiro antes. Raspou o braço de Mansinho. Mas foi a única vez.

Mariana lembrou o esparadrapo saindo do punho do blusão de Mansinho, e da sua suspeita, de que fosse dentada de mulher.

— Mas é um perigo guardar o dinheiro aqui — disse Mariana.

— Não te apoquentes não, Marianinha. É que a gente está esperando o emissário. Tem muita graxa nas engrenagens. As águas vão rolar, Mariana.

Mansinho não apareceu para jantar e Mariana só comeu um pedaço de fritada, e o ensopadinho de carne com vagem, pelo amor que tinha a dona Adelaide. Seguiu mal os argumentos do velho Frederico, que positivamente já reduzia Darwin a um plagiário vulgar, sem a visão cósmica de Russel Wallace:

— Você imagina aquele Darwin enfermiço entendendo, como Wallace entendeu, a pororoca, Mariana? A pororoca?

Não, Mariana não imaginava, e menos ainda imaginava que estivesse no sótão — ela que nem gostava de ver lá a gasolina dos coquetéis-molotovs — a mala com o dinheiro. Chegou ao seu apartamento zonza, incapaz de pensar. Acendeu a luz, jogou a bolsa em cima do sofá e sentou, pernas estiradas, disposta a pôr as ideias em ordem. Só então viu, enfiado por baixo da porta, o envelopinho da Western. "Com você porta-estandarte hospedo todo exército Brancaleone vem depressa. Gil." Mariana sentiu os olhos úmidos, o calor do reconhecimento e do amor. Mas, pensou com tristeza, seu ego estaria muito mais triunfante com a prova da permanência do amor de Gil se Mansinho não tivesse acabado de entrar na sua sedutora metamorfose de assaltador de bancos. Mansinho sempre com um truque novo, o filho da mãe.

Depois de um novo assalto, com que se despedia do sistema bancário carioca antes de viajar para Mato Grosso, Mansinho chegou com outra maleta à sua casa. Os pais tinham ido ao cinema na praça Saenz Pena e Jacinto se preparava para ir ver uma namorada. Olhou a nova maleta de olhos arregalados:

— Menino! Está cheia?

— De arrebentar o fecho. Leva ela rápido lá para cima. E não mexe não, maninho. Os bancos são grandes instituições. Fizeram a acumulação primitiva de capital para a gente.

Quando voltou do sótão, Jacinto informou:

— Mariana esteve aí, Mansinho.

— Não ficou de voltar não. não é?

— Não, mas...

— Mas o quê? Já basta que ela vai a Mato Grosso também.

— É que ela subiu, não é, para ver minhas gravuras, e encontrou lá a outra maleta...

— Mano, toma cuidado!

— Você sabe como a Mariana sempre procura meus desenhos novos. Eu nem lembrei.

— Bem, não tem importância. Mariana está na onda da gente e é discreta como um poço. Mas toma cuidado, hem, até a Karin andou lá em cima.

— Ah, mamãe tomou um recado dela para você. E de uma tal de Dora também.

— A Dorinha que estava no bar! Boa notícia. Karin o que é que queria?

— Mamãe deixou o recado perto do telefone.

Por mais que jurasse a si mesma que não ia fazer tal coisa, e por mais que lesse e relesse com ternura e amor o telegrama de Gil Setúbal, Mariana, lá pelas tantas, resolveu que precisava ver Mansinho. Apenas estar com ele um instante que fosse, olhar, com outros olhos, o esparadrapo no seu punho. Se o encontrasse, não ia chatear e propor que fossem juntos para casa nem nada assim não. Ia mesmo dar a entender que não tinha a menor intenção disto. Só depois de pronta para sair é que reparou que pusera um vestido vermelho e branco, as cores que Mansinho dizia outrora preferir para ela. Só faltava enrolar o cabelo em coque e fixá-lo com o prendedor de tartaruga com incrustação de ouro, que tinha sido de dona Adelaide e que ela encontrara em cima do seu guardanapo, na casa da rua do Bispo, há uns três anos, quando havia entre ela e Mansinho uma atmosfera de noivado à moda antiga. Mariana abriu o cofre, olhou o prendedor, hesitante, mas depois fechou o cofre, deixou cair sobre os ombros os cabelos que tinha começado a enrolar e escovou-os com energia.

Logo no segundo uísque Mansinho viu que, contra suas expectativas, o encontro com a Dora não era de se resolver com rapidez em direção ao apartamento. A moça só falava em ir para o New Jirau dançar iê-iê-iê e ele pensou com irritação que, além de trabalhar em jornal e assaltar bancos, ou bem andava dez quilômetros com a Karin ou bem ficava acordado até às 5 da manhã dançando como um pateta no New Jirau. Além disto, a Dora era uma graça, mas só tinha conversa de futebol e *show* de boate. A noite ameaçava ser um tanto penosa. Dorinha ia ficando alta muito depressa e exigia que ele escrevesse um artigo sobre o absurdo de permanecer na Itália o Amarildo, quando de *short* e com uma camisa branca em cima da pele apareceu Karin, que causou um certo rebuliço no bar. Karin cumprimentou Dora com um sorridente alô e acenou para Aniceto no balcão erguendo no ar os dedos como quem faz o V da vitória. Mas Aniceto conhecia o sinal, que era o número dois, duas vodcas no mesmo copo.

— Você não me telefonou no hotel, Mansinho.

— Hotel? Que hotel?

— Estou num hotel. Eu deixei o recado com sua mãe.

— Mas nós tínhamos combinado encontrar aqui para jantar.

— Você não disse a hora.

— Que negócio é esse de hotel?

— A peixada morta — disse Karin.

— Você combinou com essa gringa ou combinou comigo? — disse Dora.

— O negócio é o seguinte — disse Mansinho —, eu tenho uns assuntos do jornal a tratar com a Karin e...

— E o quê?

— Não sei o que você acha. Mas talvez nós pudéssemos nos encontrar mais tarde no New Jirau, não?

— Você pensa que eu vou entrar lá na solidão, com pinta de quem vai pegar par na pista?

— Ah, Dorinha, eu sei que você é popular, conhece os caras.

— Conhece o cacete. Você vai lá comigo. Se a gringa pensa que o negócio é peito de fora eu vou arriar as alças do vestido, já, já.

— Escuta, Dora.

— Não tem escuta nem não escuta. Estou sem *soutien*.

Karin cutucou Mansinho e disse em inglês:

— Quer que eu tire a blusa também?

Nesse instante Mansinho viu que entrava pela porta Mariana, de vermelho e branco, pente de tartaruga de dona Adelaide firmando o coque castanho dos cabelos. E Mariana, logo que abrangeu a cena de Mansinho entre Karin e a moça bêbeda, fez a esportiva, aproximando-se com naturalidade, dizendo "Alô, Karin" e dando um adeusinho a Dora. A evidente alegria que Mansinho teve em vê-la chegar, a insistência com que lhe ofereceu uma cadeira e mandou Aniceto trazer uma garrafa de uísque fizeram Mariana perceber que havia interrompido alguma situação difícil.

— Eu vim aqui falar com Aniceto — disse Mariana —, vim deixar um recado para João.

— Notícia boa? — disse Mansinho.

— Afirmativa — disse Mariana.

— Eu sabia que você não falhava.

— Mariana — disse Karin num sussurro —, quando você chegou estávamos à beira de um *happening*.

— A gringa de vez em quando me picha aí, não é? — disse Dora.

Karin ainda tinha esperança de ver Dora causando uma sensação. Mariana começou a entender a situação e ia jogar o jogo de Karin para atormentar Mansinho, com raiva que estava de ter feito o coque e usado o prendedor de tartaruga. Mas viu o esparadrapo saindo do punho do blusão e disse:

— Quando eu entrei, Mansinho, vinha chegando aquele francês, como se chama?

— Cabanès? — disse Dora.

— É, o que estava aqui conosco.

— Vou lá ver o francês um instante — disse Dora, que se levantou carregando o copo de uísque. — Esta mesa tem mais mulher que consultório de ginecologia.

Quando Dora se afastou Karin esvaziou o copo dando uma cristalina risada. Mansinho tinha tomado as mãos de Mariana nas suas. "A gratidão do calhorda", pensou Mariana.

— Mariana — disse Karin —, Mansinho confundiu seus compromissos e a mocinha que estava aí ameaçava ficar de busto nu, em sinal de protesto. Eu me dispus a fazer o mesmo.

— Puxa, atrapalhei a festa de Mansinho — disse Mariana.

— Você podia entrar também — disse Karin.

— Esse meu vestido é meio difícil de tirar — disse Mariana. — Bem, eu vou deixar vocês. Vim aqui só para dar meu recado a Aniceto.

Gente doida, pensou Karin, com sua vida pessoal intensa, à espera de não sabem que vida coletiva que justifique a preciosa perda de si mesmos. Lagunas esperando um oceano à altura. Estaria com uma certa raiva de Mansinho? Talvez. Ela provavelmente é que devia ir embora. Sem dúvida. Embora do país enquanto fosse tempo. Indiscutível. Mas teria coragem? Karin bebeu sua vodca.

— Quem vai embora sou eu — disse Karin.

Mansinho sentiu um vago alarma de acabar sozinho no bar.

— Já vai para casa?

— Para a Suécia — disse Karin, como se o ônibus para Estocolmo saísse da praça General Osório.

Mas chegava o Murta, eufórico, desgrenhado, o blusão aberto descobrindo a placa de Iemanjá sobre o peito cabeludo como se a deusa das águas tivesse fugido para a floresta. Murta beijou a nuca de Mariana que se levantava, obrigando-a a sentar, e beijou o decote da blusa de Karin.

— Que dia! Que dia! — disse o Murta. — Dia da encarnação, na terra da encarnação. Hoje ingressei nas grutas da consubstanciação.

Feliz como estava com a chegada do Murta, Mansinho teve medo que o assalto ao banco tivesse desengonçado de vez as velozes e delicadas engrenagens mentais do companheiro e que ali fosse relatar o acontecido. Mansinho pigarreou, pisou o pé de Murta, mas Murta se limitou a olhá-lo com sobranceria.

— Tomei umas batidas de fogo e luz num botequim da praça Mauá com um marinheiro da frota da Conomali!

— O que é isto? — disse Mansinho. — Um novo país?

— A Conomali é uma companhia que possui extensos seringais no vale dos Arinos. Você também não sabe o que é isto, sabe, o Arinos?

— Eu seria expulso da mansão paterna, se não conhecesse a bacia amazônica.

— Mas você não sabia que quando os navios da Conomali vão subindo o Arinos até Porto dos Gaúchos marinheiros e passageiros precisam se deitar no convés para escapar das flechas dos índios erigpactsá, sabia, índios que envenenam as flechas na corola das flores monstruosas e com o fel de bichos peçonhentos? Os barcos singram águas borbulhantes de piranhas e de pirararas descomunais. Quando se abrem, de noitinha, os gomos de plantas católicas e plantas de pajé, é tão intenso nos ares o choque dos cheiros doces e das exalações de podridão que passageiros tontos caem nas águas e emergem na esteira do navio, de borco, uma flecha cravada no dorso.

Quando, mais tarde, foi saindo entre Mansinho e Murta, que continuava falando nos erigpactsá e no marinheiro da Conomali, Karin sentia por trás do palavrório uma vida que não queria mais abandonar. E na qual não a deixavam entrar direito. Sentiu no ar um vago cheiro de peixe e reparou no rumo que tinha tomado.

— Estão vendo — disse Karin —, vocês ficam aí falando em revoluções e canibalismos e eu já ia levando vocês para casa, quando estou morando no hotel.

— Vamos os três para casa — disse Murta. — Não aguento multidões hoje.

— Tem vodca, tem uísque, tem gelo — disse Karin.

— E tem sobretudo Iemanjá — disse o Murta apertando a mão de Karin.

— Isto hoje acaba em suruba — disse Mansinho.

Chegados à beira da Lagoa viram que sua água estava novamente líquida, sem peixes, pelo menos boiando. Só o fedor ainda pairava como um espírito sobre as águas.

— Está vendo? — disse Murta. — Você fala mal do meu país e da minha cidade, mas os peixinhos foram todos carregados e enterrados cristãmente na Sapucaia.

Quando chegaram ao apartamento Karin escancarou o janelão da frente, aspirou os vapores da noite, encheu de vodca meio copo e derramou a bebida no espaço. Encantado com a ideia o Murta fez o mesmo com seu uísque, declamando:

— Eu brindo, com Iemanjá, as estrelas e os *flamboyants*.

No dia seguinte estava morto de congestão alcoólica, no apartamento que ficava embaixo do de Karin, o antúrio do peitoral da janela. A dona do antúrio atribuiu sua morte às exalações da Lagoa, sem imaginar que por vias insondáveis chegara à verdade, pois Karin, ao derramar sua talagada de vodca, tinha pensado: "Eu fico com a Lagoa dos peixes mortos."

A Mansinho e Murta disse em seguida:

— Tenho uma notícia importante a dar a vocês. Mas não hoje, que é noite de comemorações. Amanhã, de cabeça fria.

— Iemanjá resolveu abandonar o mar.

Karin olhou Murta espantada e não viu meio melhor de render sua homenagem ao mistério da poesia do que dar-lhe um beijo na boca. Mansinho podia não querer mais uma mulher, ou não fazer muita questão dela, mas, como dizia com duvidosa finura, não gostava de gado seu ordenhado pelos outros.

— Bem — disse Mansinho —, acho que está na hora de eu dar o pira.

— Karin — disse Murta —, me beija outra vez. Eu sempre quis fazer ciúme ao Mansinho.

Mas Karin estava em noite de paz, de concórdia. Deu um beijo igual em Mansinho, serviu uísque aos dois e foi ao seu quarto de dormir, de onde voltou com um cabide em que se dependurava um sóbrio costume preto.

— Esta é a única roupa direita que eu trouxe comigo — disse Karin. — É para as ocasiões solenes. Amanhã vou usá-la.

Acontecia a Mansinho ficar agora em êxtase diante de um banco como outrora só ficava diante de uma mulher. Eram os templos do invasor, gostava de racionalizar, e jamais esqueceria sua primeira experiência de assalto, na pequena agência de um banco na Piedade: seu coração batendo forte, seu dedo no gatilho do revólver, a docilidade com que os funcionários entraram no banheiro. Os funcionários eram assaltantes que não usavam barba postiça ou amarravam lenços na cara mas que entravam no banheiro como cúmplices. Mansinho sabia que a chefia revolucionária estabelecera um prazo limitado para as *expropriações*, mas esperava levar ainda a cabo seu grande assalto, e entrava no Banco do Brasil, vagava pelos corredores, subia e descia no elevador. Às vezes saía da calçada escaldante da avenida Rio Branco para os refrigerados pátios de mármore do Banco Nacional de Minas Gerais ou do City Bank como um lavrador nordestino que fugisse do sol ardente do canavial para a grande sala sombria de uma casa de engenho. Tinha vontade de convidar todos os encalorados que passavam na rua ao saque e à pilhagem dentro do frio artificial que também vinha de fora, nas patentes da General Electric e da Admiral. E pensar que iniciara sua carreira de salteador num desespero pessoal que seu consumo seletivo e intensivo de mulheres não consolava mais! Tinha desejado Mariana, sem dúvida, mas tinha sobretudo agido magicamente ao furtá-la de Gil Setúbal: na obscura esperança de participar, pelas entranhas de Mariana, do gênio de Gil. Ele bem que se alegrava quando ouvia tantos e tantos dizerem que Gil era hermético e pretensioso e que suas afetações de Gurdjieff, Elifás Levi e Madame Blavatsky, dissolvidos na vida de matutos e jagunços, duraria o que dura na mão de uma criança um brinquedo engenhoso. Mas Mansinho sabia que não era assim. Os livros de Gil eram artificiais na aparência, como parece artificial um hipopótamo submerso, com os olhos e as narinas à flor d'água; mas por baixo d'água bufa possante a estranha e colossal massa de vida. Uma afronta o gênio de Gil. Nos tempos da sua inveja Mansinho se sentia bastante indigno para, num outro século, acusar Gil de ter partes com o diabo e fazê-lo arder numa fogueira, de tal forma achava revoltante que Gil criasse o que criava sem nada pagar em sofrimento, como um Prometeu se alimentando diariamente do fígado da águia. A única punição infligida a Gil tinha sido o roubo de Mariana, mas Mariana não representara na sua vida o que representara na de Gil. Durante a vigência do amor de Mariana Mansinho escrevera contos de alta mediocridade. Por que roubara Mariana a Gil? Escrever como Gil não escreveria nunca, mas como revolucionário triunfante talvez entrasse de herói num livro de Gil. Depois do roubo de Mariana tal possibilidade ficara remota. Só lhe restava a revolução, os bancos a assaltar, a vocação descoberta através de tão tortas linhas. Renunciava mesmo a ver Gil Setúbal, quando fosse a Mato Grosso. Renunciava a Mariana. Renunciava à possível glória da revolução latino-americana. Salteador de banco. Operário da ação direta. Era o que se dizia sentado na praça Antero de Quental, na doce contemplação de um banco do bairro, a agência do Banco Lowndes na esquina da Bartolomeu Mitre com Ataulfo de Paiva, tão facilzinho de assaltar no seu rés do chão e onde senhoras leblonenses vindas da feira, ou levando o bebê a passear, deixavam na calçada o carro dos legumes ou da criança e entravam, caderno de cheques na mão. Ao chegar a casa disse a Jacinto:

— Escuta, maninho, não diz nada por enquanto aos velhos, mas eu não sei quando é que vou poder aparecer aqui de novo. A partir de Mato Grosso, me mando aí pelo interior. Depois você transmite a eles o que estou te dizendo.

— Mas... você não vem mais cá? — disse Jacinto.

— Claro que sim, mas talvez fique clandestino algum tempo. Recados te mando com frequência, pode estar tranquilo.

— E eu? Quando é que eu entro?

Mansinho sorriu:

— Ano que vem, sem falta. Agora escuta. Nós seguimos para Mato Grosso amanhã. O dinheiro que está aí só pode ser recolhido três dias depois da minha partida. Quem vem buscar o dinheiro vai aparecer às 10 horas da manhã em ponto. A senha dele para você é dizer: "Eu trouxe carta do Felisberto."

— "Eu trouxe carta do Felisberto"— repetiu Jacinto. — Perfeito. E olha aqui. Hoje de manhã, pouco depois de você sair, a Karin telefonou. Ficou desapontada. Tinha certeza de te pegar em casa de manhã. Você disse a ela que sempre estava.

— O que é que ela queria?

— Parece que você tinha prometido ir à Embaixada da Suécia com ela.

— Eu? — disse Mansinho. — O que é que eu havia de fazer na Embaixada da Suécia?

— Ou então ela queria que você fosse, uma coisa assim. Disse que passava aqui depois.

— Então vou me raspar. Diz a ela qualquer coisa. Diz que eu já parti, que saí antes do que esperava. Mas não diga para onde, senão é fogo.

No entanto, não tinha escapado de Karin à tarde, no jornal. Quando a viu assomar à porta da grande sala da reportagem Mansinho franziu a testa. Tinha muito que resolver antes de partir e raio de mulher nenhuma ia interferir com a sua revolução de verdade. Só quando sentiu no ar o silêncio das máquinas dos companheiros que olhavam Karin emoldurada na porta, o costume preto realçando mais ainda os cabelos louros, é que Mansinho cedeu ao orgulho de proprietário, fazendo sinal a Karin para que se aproximasse. Ela veio se desenrolando pelo linóleo do centro da sala como as escravas louras que chegavam a potentados mouros numa embalagem de tapete de Bagdá. Sentou-se ao pé de sua mesa. Parecia que ia dar entrevista. As máquinas recomeçaram sua batida, mas uma batida formal, sem ímpeto, de teclas emaranhadas em cabelos de Karin.

— Jacinto me assustou, Mansinho, dizendo que você já tinha ido embora.

— Quase fui, antes do que esperava. Vou amanhã. As coisas se precipitam.

— Eu sei — disse Karin —, mas escute, eu quero tanto ir com você, com vocês. Não há nada no mundo que eu deseje fazer mais do que isto.

— O quê? A revolução? Vocês já fizeram todas as revoluções que tinham de fazer, na Suécia.

— Você sabe que eu estou falando na revolução do Brasil, Mansinho. A Suécia é um jardim de infância de velhos.

— A humanidade é insaciável — disse Mansinho com certa exasperação. — Se todos no Brasil tivessem liberdade de amar livremente nas praias e nas praças, de comer *smorgasbord*, de fazer o curso universitário e distribuir o Prêmio Nobel eu não ia para Mato Grosso amanhã.

— Olha, eu fui à embaixada falar com um amigo que tenho lá. Ele prometeu me ajudar, mas você precisa me ajudar também.

— O que é que você quer? Um fuzil M-16?

— Eu quero ser aceita por vocês.

— Você não viu como todos pararam de trabalhar para te olhar, Karin? E o Murta não te fez de estalo um poema? Eu não palmilhei desertos e desertos de areia feito um camelo, para te conquistar?

— Mansinho, eu comecei a tratar dos meus papéis. Você sabe que não é fácil, não sabe? O Brasil não acolhe estrangeiros com muito empenho, não.

— Você está falando de que papéis, Karin?

— Eu vou me naturalizar brasileira.

Os colegas de redação não se lembravam de nenhum Mansinho tão severo e autoritário quanto aquele que se levantou diante de Karin com um ar de chefe selvagem admoestando o sol:

— Escuta aqui, Karin, se você fizer uma besteira dessas eu nunca mais falo com você.

Voltando de São Paulo com João e ouvindo planos de libertação continental, Laurinha pensava no que é e sempre foi a história: milhões e bilhões de homens e mulheres que vivem a vida doce e racional de todos os dias, plantando e colhendo, copiando coisas em máquinas de datilografia, cuidando dos filhos e enterrando avós, até que um iluminado surge em seu carro de fogo e sobe aos altares, o Messias de barbas vermelhas de sangue. E jamais o enterravam, quando afinal morria... O Murta não contava a história da venda de relíquias napoleônicas? Entre as lembranças que o padre capelão de Santa Helena tirou do cadáver figurava, num escrínio de joia, a pica de Napoleão, ou passa de pica, escura, seca. Mas Laurinha não disse nada sobre o exibicionismo dos que fazem história porque João, sendo como era a sua vida e a sua alegria, era o homem anti-histórico por excelência, ainda que reformasse o mundo, como tencionava fazer e como Laurinha acreditava com aflição que ele faria. Qualquer pedaço de João que porventura um dia fosse a leilão num escrínio, era no momento seu pão e vinho.

Quando chegaram ao apartamento o zelador Martinho se levantou da sua mesa e veio ao encontro deles na porta do edifício, com o ar apressado e solene de quem tem má notícia a dar:

— A meninazinha morreu. Uma coisa terrível. Levou o choque, não é mesmo, e quando tiraram ela de dentro da piscina já tinha se afogado, o pulmão cheio de água.

João e Laurinha pararam no vestíbulo, olhando Martinho, esperando algum esclarecimento.

— A menina, uma das crianças da casa do alemão.

— Qual? — disse Laurinha.

— Essa que se chama Amelinha. Se chamava... Houve não sei o que nos fios da luz da piscina e quando retiraram o corpinho dela, não tinha mais vida na menina.

João balançou a cabeça:

— Que coisa terrível!

Tomou o braço de Laurinha para que se encaminhassem para o elevador e então sentiu que ela tremia. Passou o braço pela cintura dela e deixou que Martinho subisse com os dois no elevador, carregando as valises. Mal entraram na sala cuja janela dava para a casa do alemão, João sentou Laurinha numa poltrona.

— Quer alguma coisa, meu bem? Um copo d'água?

Laurinha fez que não com a cabeça, procurando imaginar e ao mesmo tempo evitando pensar no instante em que houve o alarma na casa, no instante em que a fatalidade caíra no gramado como um gato caindo em cima do passarinho. Queria e não queria ver o instante em que haviam encontrado o corpo de Amelinha... Como podia ter acontecido tal coisa? Sempre havia alguém por perto, e o alemão concentrava tal poder em si mesmo, era tão invulnerável o parque, com suas muralhas de música! Amelinha devia estar só, por acaso, um breve momento, canarinho em cima da grama. Ou talvez com uma das crianças menores, que achou sem dúvida que ela brincava quando levou o choque e mergulhou, que estava apostando quanto tempo prenderia o fôlego embaixo d'água. Laurinha cerrou os olhos, numa vertigem de horror. Ouviu a bica aberta por João no banheiro, ouviu a voz de João que por um momento cantarolou alguma coisa e logo se deteve, como se faz em casa em que alguém morreu. João apareceu na sala, cara pingando água, toalha na mão:

— Está melhor, meu anjo? Que acidente horrível. E você que gostava de ver as crianças na piscina.

João foi até a janela, abriu a metade da veneziana e parou, mão no ar, toalha pendurada na outra mão. Assim ficou um instante, assim ficou até que Laurinha disse, impaciente:

— Abre ou fecha a janela, João. Parece que está vendo fantasma.

Assim era a vida, se dizia agora Laurinha. Adiante! Ainda há muitas crianças na casa, as coisas voltarão ao seu lugar, paciência. Quando voltarmos de Mato Grosso, se voltarmos, se João voltar, se nada acontecer, provavelmente encontraremos tudo como era antes, e a vida vai continuando assim mesmo, de qualquer jeito. Uma meninazinha tão pequena, entre várias outras crianças, não ia deixar rombo tão grande na vida dos mais velhos. João deixou aberta apenas a meia folha de janela que abrira. Enxugou o rosto, afastou-se.

— Uma pena — disse João —, assim vai ser mais difícil esquecer. É verdade que depois a grama cresce, cobre tudo.

"Que é que João está engrolando aí?", disse Laurinha a si mesma, na sua poltrona. Não hão de ter enterrado a menina no jardim, ora essa. Mesmo porque era contra a lei. Imagine um túmulo de anjo, uma lápide num gramado, perto de uma piscina. Laurinha esperou que João voltasse ao interior do apartamento para ir à janela. A piscina tinha sido soterrada, tinha desaparecido, como se nunca houvesse existido. Do grande portão até o centro do gramado havia o sulco das rodas do caminhão que trouxera terra e mais terra para liquidar a piscina, apagá-la da memória das pessoas, enterrá-la para puni-la de haver feito enterrar a menina. A casa estava toda fechada, portas, janelas, garagem, tudo, uma casa sem teto, sem olfato, sem ouvido, apenas com o gosto daquela terra que entrara pelos olhos azuis da piscina. A casa tinha morrido com a menina. Com um golpe seco Laurinha puxou a veneziana, rodou a maçaneta para fechar o trinco. Acendeu a luz de um abajur. Pelo menos, agora, tinha pressa de viajar para Mato Grosso. E até então a janela não se abriria mais.

PARTE II

*"I must go away with my terrors until
I have taught them to sing."*

W. H. Auden, *The Age of Anxiety*

("Vou embora com meus terrores até
que os ensine a cantar.")

6

No trem da Noroeste do Brasil que os levava, dispersos pelos vagões, a Corumbá, João via alternar-se diante dos olhos, sentado à mesa do carro-restaurante, as imagens de Salvador, policial, torturador e comprador de arapucas, e de Joelmir, ex-sargento do Exército, cassado e expulso das fileiras. Primeiro a ordenada paisagem paulista, fábricas e fazendas, tratores amarelos, algodoais e cafezais que a locomotiva vermelho-alaranjada rompia como um arado. Depois aroeira, piúva, paratudo de Mato Grosso, gado zebu mobiliando o Pantanal, búfalos metidos até o pescoço nas lagoas, jecas que nos campos paravam à vista do trem ou que, com suas trouxas de roupa, subiam nas paradas aos vagões de segunda. A paisagem era rica e os vaqueiros e lavradores pareciam dispostos a aguardar séculos até que alguma coisa daquela riqueza entrasse em suas trouxas enfiadas num pau. Cabeça recostada no espaldar da cadeira do carro-restaurante, firmando de quando em quando a xícara e o bule de café que deslizavam pela mesa com o movimento do trem, João olhava pela janela os homens nos campos e na plataforma das estações, dividindo-os, por alguma parecença, entre Salvadores e Joelmires.

Saltou do trem em Miranda, maleta na mão, e o chefe da estação o encaminhou à praça Agenor Carrilho, centro da cidade, onde ficava o Bar Pinguim e onde havia hotéis. João tomou quarto no Hotel dos Viajantes, e, antes de ir ao Pinguim, andou pela praça, pela rua do Carmo, foi até a ponte do rio Miranda, deixando que a cidadezinha pacata e simpática o impregnasse um pouco, com suas farmácias, suas pensões, o Salão Jardim da cabeleireira Ivone. Nos momentos calmos de sua vida era com genuíno prazer que andava por uma nova cidade, sobretudo cidade pequena, tentando imaginar como seria viver ali, e como viviam os que ali moravam, quem seriam os bêbedos locais, como era o clube da gente fina, e a gafieira, quantas mulheres faziam a vida e onde. Em Miranda era diferente: além de buscar, por algum acaso, avistar Joelmir em algum canto, queria familiarizar-se com a cidade antes de fazer perguntas. Era um vendedor — digamos — de máquinas agrícolas, e já estivera antes em Miranda. Vinha de São Paulo, ia para Cuiabá, e tinha fregueses a atender em Miranda.

No Bar Pinguim pediu cerveja, tirou do bolso um caderno de notas e começou a fazer contas imaginárias, até o instante em que, relanceando os olhos pelo balcão, pelas paredes, pelos dois outros fregueses, que jogavam dados, lembrou-se de gestos semelhantes que fizera no Bar e Café Atlas, à espera da chegada de Salvador. O garçom, quando servia uma cerveja ou refrigerante, afiava com os dedos molhados as longas guias do bigode viçoso e preto. E parecia gostar de uma conversa, já que falava em voz alta com o senhor sentado à caixa registradora e que não lhe prestava a mínima atenção. Aquela cena devia ser permanente, o homem da caixa distraído, o garçom tentando conquistar a atenção dos fregueses. Valendo-se do instante em que os jogadores de dados discutiam, exaltados, João fez sinal ao garçom para que ele lhe trouxesse outra meia garrafa e quando ele, aberta a garrafa, enroscava os bigodes com os dedos, consultou o caderno de notas em que escrevia, com o ar de quem se esforça por ler alguma palavra meio apagada:

— Você conhece... Valpolize?... Espere... Val...

— Há de ser Valdelize o nome, não é? Dona Valdelize. O pai dela era o dono aqui do Pinguim.

— Ah, mas claro, o velho...

— Fuentes, Pepe Fuentes, paraguaio, dono de gado também.

— Exato, que tempo que eu não venho a Miranda e as notas estão meio embrulhadas. E dona Valdelize...

— Não, ela não vem mais aqui não. O velho Fuentes vendeu o bar quando ela se casou.

— Ah, casou, Valdelize, eu me lembro dela... Era...

— Bonita morena, foi antes do meu tempo aqui. Eu nunca tive patroa bonita assim não — disse o garçom acariciando a garrafa sobre a mesa para envernizar as pontas do bigode. — O Fuentes vendeu o bar e comprou um sítio para ela.

— Pois eu vendo máquinas agrícolas e peças, e me falaram no sítio que talvez precise de alguma coisa.

— Capaz, capaz. Me dizem que o marido dela está fazendo muito trabalho novo na lavoura.

— Sei, sei. Ele era daqui?

— Qual o quê, gente de Miranda não dá essa sorte não. Um cabra esquisito, parece que paraguaio também. Difícil ver ele na cidade.

Em pouco tempo João obtivera a direção do sítio, plantado na barranca do Miranda. Quando se acercou viu a grande horta onde trabalhavam enxadeiros vigiados por um homem forte, meio pesado, de bastas costeletas, chapéu chile, jeitão de paraguaio ainda mais acentuado pela guampa de tereré que tinha na mão. João deu um bom-dia de longe, apoiado na cerca, e ia pedir licença para se aproximar mas o homem já vinha ao seu encontro, andar pausado, e a uns dez metros disse:

— A casa é sua, João.

Era o sorriso de Joelmir, os dentes brancos no rosto moreno.

— Quem você não encontrar ninguém encontra, hem.

Joelmir travou do braço do João e foi andando para a casa do sítio.

— Para encontrar você — disse João — usei como senha o nome de Valdelize.

— Minha mulher.

Até aquele instante João ainda esperara que o marido de Valdelize fosse outro, que do sítio o encaminhassem a Joelmir, em algum outro lugar, com os companheiros de guerrilha. Que ia dizer? Como começar? Talvez o melhor fosse falar apenas nas armas, se ainda existiam, e tratar de ir embora. A si mesmo, e pensando também em si mesmo, disse que no Brasil a pressão da vida particular das pessoas sobre a vida ideológica era provavelmente a mais alta do mundo. Foi Joelmir que iniciou a conversa, sentando-se num tronco de árvore diante da casinha do sítio. Ofereceu a João mate frio na guampa.

— Até principiozinho deste ano fiquei em Corumbá, trabalhando num talabarteiro que faz peças de couro para o velho Fuentes.

— E encontrou um dia Valdelize.

Joelmir fez que sim com a cabeça, apenas confirmando o detalhe.

— Durante quatorze meses estive sem notícia de lugar nenhum, nem de Montevidéu, nem de São Paulo, nem de vocês no Rio. Nada, nada.

— Eu sei, eu compreendo. Dá nos nervos da gente.

João queria compreender, sabia que era compreensível, mas pensava em Maldonado, em Eustáquio, irritado com Joelmir, que se exprimia com tanta calma e segurança.

— Teve Valdelize também, naturalmente, como você disse. Nós nos gostamos de cara, quando ela veio com o pai a Corumbá. Mas continuei firme, aguardando ordens. Não vim correndo atrás dela e nem fiz mal a ela quando saímos juntos em Corumbá não. Eu ia a uma mulher da vida qualquer, na pensão da Maria Mulata. Não queria me amarrar a ninguém. Estava esperando o sinal.

João falou com brandura, mais conformado.

— Eu sei, Joelmir, eu sei, o sinal só veio agora.

— Não sei qual é o sinal de agora, mas o sinal que me fez fugir de Corumbá em fim de março você sabe qual foi.

Por um momento João pensou.

— Caíram os guerrilheiros na serra de Caparaó, João, caíram de armas na mão, caíram apodrecidos de esperar, como eu esperava.

João abaixou a cabeça. Dias a fio, no Rio, no Bar Don Juan, haviam discutido a queda de Caparaó, mas quem pensara nos outros grupos que esperavam, que apodreciam pelo Brasil afora? Joelmir falava agora com a voz cheia de emoção.

— E deu muito camarada valente em Caparaó. Não eram frouxos não. Tinham armas, tinham de comer, tinham vontade de lutar. Mas não tinham, nunca tiveram data. Começaram a entrar na vida da região, a descer da montanha para ir às cidades, a facilitar com o sistema de segurança. Isto mesmo estava acontecendo com a gente, lá perto de Corumbá. O outro sargento meu companheiro deu para beber. O João Piancó se empregou de vaqueiro. Ainda esperando a data mas vaquejando, indo cada vez mais longe, Pantanal adentro. Eu então achei que o sinal que a gente estava esperando era Caparaó mesmo: sinal de debandar. Para mim, sinal de procurar Valdelize, como você imaginou.

— Está certo, Joelmir, mais do que certo. Valdelize sabe de...

— Sabe de tudo. Me ajudou a me disfarçar. A gente casou e se enfiou aqui no sítio.

— As armas você abandonou por aí?

Joelmir abriu os braços, ofendido. Falou baixo mas com voz intensa:

— As armas estão areadas, engraxadas, novas. Se a gente nunca fizer nada no Brasil, eu queria que elas pelo menos ficassem como prova da intenção da gente.

Joelmir bateu no tronco em que sentavam como se batesse no assoalho do galpão:

— Elas estão embaixo das tábuas, mas tratadas como se estivessem no quartel. Se quiser elas em Corumbá eu tenho até um barqueiro que era da gente, o Nogueira, que leva elas entre os couros de boi. Entrega a você em Corumbá.

De dentro de casa, como se sentisse Joelmir em perigo, veio Valdelize, com seu coque de cabelos pretos, o ventre inchado do filho de Joelmir. Postou-se atrás de Joelmir, mãos sobre os ombros dele, protegendo seu homem. Joelmir a tranquilizou batendo leve em suas mãos.

— Este é meu grande amigo João — disse Joelmir.

João se levantou para falar com ela, mas Valdelize apenas bateu com a cabeça e voltou ao interior da casa. João permaneceu de pé. Já ia saindo. Foram andando em silêncio entre os canteiros da horta. Combinaram o dia para remessa das armas e depois voltou o silêncio, enquanto se acercavam do portão. Joelmir apontou umas palmeirinhas carandá ao longe, do outro lado do rio.

— O senhor conhece essa palmeira?

— É a carandá, não é?

— Isso mesmo. No Norte a gente trata isso por carnaúba.

— É a mesma coisa?

— Igualzinha, igualzinha, só que a carnaúba dá cera e a carandá não.

João achou que a falta de assunto entre os dois estava se tornando penosa.

— Que interessante — disse João. — Não sabia não.

— Você sabe por quê? — disse Joelmir.

João balançou negativamente a cabeça.

— É que a carnaúba, como eu aprendi no Norte, dá cera para guardar na árvore a água, que é pouca. Aqui no Pantanal água sobra. Por isso é que a carandá não dá cera, não é mesmo?

João balançou a cabeça afirmativamente.

— Assim são as coisas — disse Joelmir. — A gente dá água à carnaúba ela não faz mais força, vira carandá, largada aí pelos campos. Revolucionário sem ocupação também não dá mais cera não, João. Os guerrilheiros da gente aqui virou tudo carandá.

Manhãzinha do dia seguinte, viajando para Corumbá, João não via mais as caras que se alternavam: via a de Salvador, via Salvador inteiro, andando com seus embrulhos, passo elástico, entre os infinitos carandazais que desfilavam pela janela do trem.

Desde que soube que ia rever Mariana, Gil começou a pensar no presente que lhe daria, na forma de dizer o que ela sabia com um máximo de efeito e um mínimo de humilhação para ele. Ridículo meter entre as mãos de Mariana o *Livro do que fazer*, seu diário da ausência dela. Mariana não ia chegar e sentar-se para ler um livro. Era preciso um presente que a envolvesse, categórico. Gil podia, talvez, juntar umas vinte garças alvas e vinte biguás pretos e soltar tudo de chofre à chegada dela, mas quem sabe isto assustaria Mariana. Ou reunir vinte vaqueiros com suas buzinas de chifre para tocarem uma espécie de missa de caça ao abrir Mariana a porteira do sítio. Como lhe acontecera mais de uma vez, quando padecia de dúvida no escrever ou de pura solidão, Gil foi cedo de manhã à casa do seu vizinho Ximeno, velho zagaieiro, atual biscateiro de várias ofícios. Nos seus dias desocupados ou solitários, Ximeno também vinha visitar Gil. Limitava-se a sentar, pitando o cachimbo, no alpendre da casinha quando ouvia Gil batendo máquina de escrever. Aguardava o momento de contar mais uma história de caçada de onça ou de anta, uma história dos tempos em que ainda assombrava o Pantanal seu afamado cachorro onceiro Vagamundo. Ximeno sabia há algum tempo, pelas conversas com Gil, que havia ali um caso de amor malsucedido, e meias confissões feitas agora pelo vizinho e amigo punham nome na sua aflição, Mariana sendo o nome.

— Eu queria dar a Mariana uma coisa, um presente. Em vez de eu falar, ela entendia logo. Sabe como é, Ximeno?

Ximeno meteu a mão no bolso da guaiaca, de lá tirou um saquinho de couro pequeno como uma medalha.

— Isto para mim não tem mais serventia. Você guarde, que está precisando.

Gil entreabriu o saquinho e viu lá dentro o que parecia ser uma flor prensada, ou uma fruta seca.

— É olho esquerdo de lobo guará — disse Ximeno —, uma verruma para enfiar amor em coração de mulher.

— Obrigado, Ximeno. Você tem certeza que não vai precisar?

— Que nada, Gil, eu hoje sou feito cachorro velho, que só ataca onça quando sonha, estirado no sol. Mas olhe, foi esse olho de guará que virou a cara de Tomázia minha mulher para o meu lado. Tem uma coisa. Olho de guará não amolece mulher só porque a mulher está dando uma gula na gente não. Ele carrega para ela o amor que a gente tem dentro do peito. Aí pega. Coisa assim feito enxerto.

— Exatamente disto é que eu estou precisando — disse Gil, que pôs o saquinho de couro no bolso esquerdo da camisa.

— E o presente para Mariana?

Ximeno pitou o cachimbo.

— Por que é que você não dá uma onça?

— Uma onça, Ximeno? Onde é que eu vou arranjar uma onça?

Ximeno falou meio ofendido:

— Quem falou em arranjar? Onça só vale quando se caça.

— Mas leva tempo. A gente tem de se embrenhar no Pantanal, reunir os cachorros. Mariana pode chegar de repente.

— Ah, bem, você está querendo prenda mais fácil. Manda laçar um veado pantaneiro, dos ruivos de galhada alva. Ou um macaco coatá de cara branca, podia ser.

Quando viu que suas sugestões de presente de homem não eram bem recebidas, Ximeno partiu para ideias mais ligeiras:

— Risca uma palmeira de buriti, Gil, sai vinho, sai mel. Ou então vai direto no mel de pau de abelhas do mato. Tem muita jati por aí, tatá, uruçu, bojuí, mandurim, mandaguari, cada favo lindo. Ou então dá um arreio guaicuru cravado de prata, uma saia vaqueira de tiras de couro, ou vai buscar uma panela de barro caduveu.

— Talvez tudo isso junto — disse Gil. — Mas não sei. Uma coisa, Ximeno, um berro.

— Você está querendo talvez ir lá no Sotero Gómez de Puerto Suarez, para comprar um rádio japonês dos grandes e botar ele para tocar aí num desatino.

Foi a vez de Gil se ofender e olhar Ximeno com reprovação.

— Bem — disse Ximeno —, era só uma ideia. O Gómez também tem poncho bonito, com lhama pastando no vulcão, chapéu de palha que parece um creme, extrato francês.

Gil começou a andar pela saleta da casa de Ximeno, entrevendo na cozinha pela porta aberta a gorda Tomázia, que abanava o fogo no fogão de barro, peixe cozinhando no caldeirão. Pelas prateleiras havia caveiras e caveiras de onças mortas por Ximeno, zagaias apoiadas contra a parede, galhadas de veados de nove e dez pontas, peles da onça canguçu e da pintada pelo chão. O peixe de Tomázia recendia entre cheiros fortes de ervas.

— Tem também peixe, não é — disse Ximeno —, tem arraia e ferrão de arraia.

Gil quase fingiu que não ouvira, observando Ximeno com o rabo do olho, achando que o velho zagaieiro, ofendido pela sua recusa de ir às onças, continuaria a troçar dele. Mas Ximeno estava com aquele ar sonhador de quando pensava coisa séria, chupando o cachimbo e soprando fumacinhas que subiam para o teto, uma no encalço da outra.

— Tinha um vaqueiro lá na Bodoquena que ninguém pegava boi bravo como ele, tal de Marajó, lá do fim do Norte. Não mostrava um corte, um arranhão de chifre na pele. No diazinho que ele soube que a mulher ia largar ele por outro, deixou o boi dar uma guampada nele para a mulher ter pena e ficar tratando dele. Estão juntos até hoje, Marajó e a Vitalina.

— Ela ficou com ele.

— Bem, o outro desapareceu e tem quem diga que por via das dúvidas o Marajó, mesmo antes de sarar da guampada, armou uma tocaia para ele e jogou ele no rio, com um punhal na barriga. Mas a valentia dele de deixar o boi furar ele é que pôs as coisas no caminho reto. Houve o que usou também ferrão de arraia, que deixa um veneno que só mulher sara.

Ximeno tirou o cachimbo da boca, esticou o pescoço para ver que a Tomázia continuava suando no abano de palha diante do fogão.

— Nesse caso que eu conheço, o cabra arranjou para a arraia meter o ferrão na bochecha dele e aí a mulher teve de vir...

Mal Ximeno começou a história, Tomázia apareceu no quadro da porta, usando agora o abano para arrefecer a cara cabocla, que parecia de cobre avermelhado de tanto encarar o fogo.

— Seu Gil fica pro peixe, não fica?

— Obrigado, Tomázia, mas tenho de ir em casa agora.

É que enquanto Ximeno falava, Gil, olhando as prateleiras, os móveis toscos, os pratos de estanho e o jarro d'água de couro, as caveiras de onça, as peles, o tamborete de piúva, as zagaias de furar onça, as botas de couro mole a um canto, os trastes e petrechos da casa de Ximeno, Gil tinha visto a forma de receber Mariana. Foi para casa e começou o trabalho de quem se desarruma para uma mudança. Preciso e alegre como quando trabalhava outrora num romance, ou como agora trabalhava no *Livro do que fazer*, começou a tirar da estante os livros e a acondicioná-los num caixote. Depois guardou a vitrola e os amplificadores na respectiva caixa. Os discos entraram numa arca, cadeiras foram desarmadas, baús encheram-se de roupas e o tempo todo Gil revivia seu último encontro com Mariana, o dia em que ela viera ajudá-lo a desfazer o apartamento da avenida Niemeyer antes da sua vinda para Corumbá, fugindo de Mariana que não o queria mais, em busca de Joelmir e da revolução que não encontraria. Via Mariana trêmula e terna andando nua entre os destroços do caos que ela criara, ajudando aqui e ali a passar um barbante num rolo de gravuras ou a afivelar a correia da mala preta, como um gentil tufão que depois de arrasar um povoado voltasse sob a forma de brisa para refrescar os escombros. Gil tinha pensado então que Mariana era feito um demônio solto entre os fardos e malas onde jazia em pedaços o passado dos dois como esses cadáveres que criminosos despacham de navio ou deixam no depósito de uma estação ferroviária. Mas logo em seguida concluíra que apenas formulava uma conveniente imagem de fixação para salgar e conservar aquele instante de vida, a ser usado em livros, sabendo muito bem que o que ia reter na memória era simplesmente Mariana que, ao se curvar entre os volumes ou sentar no baú de roupas para fechá-lo com seu peso, deixava prosseguir a festa da minuciosa revelação de um corpo que tinha, ele sim, uma capacidade demoníaca de variar e transformar-se, nutrindo o quieto desespero com que Gil constatava que Mariana só bastava quando estava diante dele o tempo todo, incessante sequência de suas fases imprevisíveis. Tanto assim que, no exílio de Corumbá, Gil só conseguia trabalhar no diário, no *Livro do que fazer*, profecia erótica do que ia fazer com Mariana quando ela voltasse. O diário exprimia sua desistência de tentar livrar-se do seu amor e seu desejo vinculados sem apelação a Mariana e consistia numa metódica planificação do futuro dividido em encontros fortuitos, marcados, em carros, quartos ou praias, com satisfação bucal, manual, formal, horizontal ou de pé, em dias de sol, de chuva, de vento, colchão de mola, cama de campanha, rede, banheira, às vezes numa perfeita alucinação controlada em que a chegada de Mariana era descrita com os pormenores usualmente ligados a acontecimentos passados, tais como a cor do vestido com que ela chegara fazendo o relato de aborrecimentos do dia, do estado de espírito de Gil a ouvi-la, do disco na vitrola e da necessidade de cerrar a cortina ainda inexistente de um apartamento futuro porque um raio de sol a vir estaria batendo no travesseiro ainda não fabricado. Havia mesmo naquele plano de meiguices e exaltações momentos difíceis em que discutiam e se amuavam em torno de problemas por nascer mas que eram formulados com minúcias e devidamente esclarecidos para pavimentar o caminho das reconciliações. Nesse livro de vaticínios amorosos havia um levantamento do ciclo menstrual de Mariana e um registro do dia futuro em que Gil também verteu sangue como Strindberg por empatia com sua amante e se confundiram em carícias ambíguas. Mas o *Livro* tinha chegado à sua secura máxima, como aqueles grandes rios nordestinos que evaporam de tal modo no tempo da seca que as populações ribeirinhas plantam feijão e mandioca no seu leito. O feijão humilde das suas lembranças agonizava na areia. As próprias pedras do leito fagulhante de sol, pedras de abandono e de cólera, estavam todas talhadas, lavradas por Gil, o rio descarnado virando escrínio de amostras geológicas.

Eustáquio, Pacho e El Rubio pararam à beira do Ñancahuazú exaustos da longa caminhada de reconhecimento:

— Para levarmos nossos trens e mais a caça, só se construirmos uma balsa — disse Pacho.

— Antes de fazer a balsa temos de refazer a barriga — disse Eustáquio.

— Vamos comer um dos macacos? — disse El Rubio.

— Não — disse Pacho —, não quero carne nenhuma. Fico pensando em Benjamin e no Carlos que caíram n'água e morreram.

— Vá dizer besteira na puta que o pariu — disse El Rubio.

— Tem muita caça aí para escolher — disse Eustáquio. — Que tal gavião com palmito?

— É melhor comer urina com palmito — disse Pacho.

— Porque todo o mundo gosta mais de urina — disse El Rubio.

— Não é não, seu puto, é porque o bicho morreu há mais de um dia e mais vale a gente comer do que deixar estragar. Eu até tenho raiva de urina por causa do nome. Sempre dá ideia de mijo.

— Fala em veado então.

— Mas todo o mundo aqui fala urina.

— Ah, deixa de frescura — disse Pacho. — Na guerrilha pelo menos a gente se habitua com o corpo da gente, lá isso não tem dúvida. E com a fome da gente. Eu como de tudo, com qualquer nome, e sempre olho minhas cagadas com gratidão: sinal que eu comi alguma coisa. Acho até besteira cagar dentro d'água. Quero ver o bolo ainda quente no chão, feito terra viva.

— Bom — disse Eustáquio —, vocês armam um fogo aí que eu vou esfolar a urina.

Eustáquio tirou o veado do embornal e o suspendeu no ar pelas pernas. Depois olhou o bicho na cara, tirou o facão e disse, riscando a barriga do veado com o fio do facão:

— Eu te batizo com o nome de Mário Monje.

— O sacana chama a gente de trotskista — disse El Rubio.

— Aqui entre nós — disse Pacho —, que merda é essa de trotskismo?

— O PC acha que a Revolução só pode ser feita num país de cada vez, quando dá a vontade — disse Eustáquio.

— Feito cagar — disse Pacho.

— Mais ou menos, mal comparando.

— E daí?

— Daí, só tem cinquenta anos que a gente espia a URSS fazendo cocô sozinha e ela ainda não acabou. A gente precisa esperar que ela acabe.

— Mas onde é que entra o trotskismo nessa cagada?

— O Trotski achava que todo o mundo devia cagar ao mesmo tempo, numa caganeira universal, até sair o último verme capitalista dos intestinos dos países pobres. Fedia tudo ao mesmo tempo e depois fazia-se a faxina.

— Tem lá sua graça — disse Pacho. — E o que é que aconteceu com ele?

— Mataram ele com uma picaretada na cabeça, isso eu sei — disse Rubio.

— Os capitalistas mataram ele? — disse Pacho.

— Não, os comunistas — disse Eustáquio.

— Para ficar só a Rússia cagando, lendo o *Pravda* na latrina — disse El Rubio.

— É — disse Pacho —, mas Cuba não quis saber disto não. Cansou de trancar a merda no corpo e abriu o rabo num peido que até hoje dá maremoto no Caribe. O Comandante, que é médico, veio dar purgante a esta Bolívia que tem uma prisão de ventre de pedra.

El Rubio ateara fogo entre pedras e tentava arquear sobre as chamas uma vara que serviria de espeto para assar a urina. Pacho extraíra um palmito da palmeirinha total que tinha derrubado. Desbastou com o machete os galhos da palma e descascou as camadas mais grossas. Depois foi escamando delicado, à medida que o tecido do palmito ficava mais tenro e mais claro, do castanho, ao branco, ao mais branco. Com a ponta do facão rasgava cortes longitudinais de cautelosa cirurgia na pele quase alva. Parou um instante, facão no ar, olhos perdidos longe.

— Mas você não acha que o Monje esteja também querendo liquidar o Comandante, acha?

Eustáquio meteu a mão na barriga do veado para retirar os miúdos, as tripas.

— Esta resposta ainda não tenho — disse Eustáquio —, mas estou me exercitando aqui, para o que der e vier. Faz o mesmo no palmito.

Pacho deu um corte superficial mas rápido, descobrindo o palmito em sua plena alvura. Embebeu nele a lâmina e ergueu-o no ar, varado de lado a lado.

Ao chegarem a Corumbá, Laurinha e Mariana foram tomar juntas um quarto no Grande Hotel, como amigas em férias. Laurinha não deixou Mariana pensar muito:

— Vá logo ver Gil que amanhã estarão todos lá. Aproveita hoje, Mariana.

Foi relativamente calma que Mariana tomou o táxi na porta do hotel, pronta a enfrentar a eventualidade mais provável, a de que ia encontrar Gil com alguém, alguma mulher. Trocariam beijos na face, como velhos amigos, ela falaria sorridente com a mulher, e, quando tivessem algum instante a sós (podia ser também que a mulher fosse uma roceira, dessas que não aparecem quando tem visita, pensou), ela se limitaria a dizer que João e os outros (Mansinho não, acrescentaria) vinham falar com ele amanhã, no máximo depois de amanhã. Nesse estado de espírito chegou até a reparar, no princípio da estrada, aves que nunca vira e mesmo árvores cujo nome não conhecia e que, para dizer a verdade, não tinha o menor interesse em conhecer. A vista de uma primeira casinha de agricultor, anunciando outra que surgia na curva da estrada, desencadeou um princípio de pavor em Mariana. Em algum ponto de Corumbá, sardônico, Mansinho devia saber que ela ia ao encontro de Gil, dando de ombros com alívio, ou talvez satisfeito por poder experimentar de novo sua força, atraindo-a de volta, enquanto no seu sítio, bem perto dela, estava Gil, que ela nunca mais devia procurar e que agora só temia que estivesse de fato com outra mulher, roceira ou não. No fundo da cena, João, que quando queria consolá-la sem parecer que se metia em sua vida, dizia, generalizando: "Em épocas como a nossa a vida particular é um vício. Um maconheiro que procura mudar o mundo é mais virtuoso do que um atleta ou um santo." Ela o que era? Um lixo, um nojo, um nada. Precisava de Mansinho, queria ter a certeza de que Gil precisava dela, e gostaria de ser revolucionária, atleta e santa.

— A casa deve ser uma destas — disse o chofer.

— Olha aqui — disse Mariana —, eu esqueci no hotel a encomenda que devia trazer, imagine. Vamos voltar.

O chofer parou o carro, olhou desconfiado a passageira.

— Voltar agora que a senhora chegou? Pelo menos vê aí o homem, a pessoa.

— Não adianta, vamos voltar ao hotel — disse Mariana.

O chofer fez cara de poucos amigos dando marcha a ré para iniciar o caminho de regresso. Mas quando se voltou para trás, manobrando, e viu o rosto parado e os olhos úmidos de Mariana, os dedos da moça brancos feito cal do esforço com que se agarrava ao assento do carro, sentiu a raiva virando preocupação. Acontecia cada uma com ele! Olhou a barriga de Mariana, lembrando a mocinha abandonada que ele quase não tinha tido tempo de meter no hospital de Ladário para ter o filho que ia nascendo ali mesmo, no táxi.

— A senhora não quer descansar um pouco, antes de voltar?

— Não, por favor, vamos embora para o hotel.

O chofer já partia, balançando a cabeça, quando Ximeno saiu da sombra do seu pórtico e veio até o carro. Tirou o chapéu:

— Sem querer ser enxerido, mas não é o caso da visita que está esperando meu vizinho doutor Gil?

O chofer encarou Mariana:

— Foi o nome que a senhora disse, não foi?

— Então é aquela casa ali — disse Ximeno, que completou, voz mansa: — Ali, dona Mariana.

O carro encostou e Mariana, como quem se sente no fundo de uma armadilha, pagou ao chofer a corrida e caminhou pelo alpendre da casa, onde se amontoavam fardos, que Mariana não notou, mas que intrigaram e inquietaram Ximeno. Mais preocupado ficou quando, batida a aldraba por Mariana, a porta se abriu e ele viu a casa sem móveis, atulhada de caixotes, malas e embrulhos. Mas ao menos Gil ainda estava lá, Ximeno esperava que com o olho de guará no bolso, e a porta se fechou:

— Desculpe de eu ter vindo, Gil.

— Você ainda não saiu, meu bem.

Só então Mariana reparou na desarrumação e entendeu que Gil entregava a ela um tempo não vivido mas muito sofrido por culpa dela, por não ser ela nada, só lixo e nojo e ela quis falar com Gil, tratando principalmente de não chorar feito uma fingida que abandona o sujeito e depois chora no ombro dele porque ele não a abandonou, nem se vingou, nem nada, mas aí Gil começava como um bárbaro a descontar o tempo perdido e era inútil querer falar por enquanto, mesmo porque se ela bem se lembrava do último dia na avenida Niemeyer estava tudo empilhado e metido em malas e coisas até com rótulo para serem apanhadas pelo caminhão das mudanças — o homem do Gato Preto podia entrar a qualquer instante — mas Gil tinha deixado com lençol lavado de fresco a cama deles perto da janela que dava para a igrejinha de São Conrado e o mar, a cama grande que ela costumava dizer que mais parecia um rinque de patinação e que ele não tinha desmontado nem nada, como se fosse ficar no apartamento. Mas agora que entrava no quarto da casinha carregada feito uma noiva, só que noiva meio despida e desrespeitada no caminho, comprovava que não, que Gil depois de ela sair do apartamento tinha também desarmado e despachado a cama que caso contrário não estaria ali, no sítio dos arredores de Corumbá.

Depois de um dedo de prosa com o chofer e de se certificarem os dois, sem nada dizer, que a porta do sítio de Gil continuava fechada, despediram-se, o chofer de volta a Corumbá e Ximeno para sua casa. Disse à mulher, que costurava roupa na sala:

— A moça do Gil chegou, sabe, Tomázia, estão lá na casa dele.

— Jesus Cristo seja louvado.

— Amém — disse Ximeno. — Só que o olho de guará também teve seu préstimo.

— Pode ser que sim — disse Tomázia —, mas ainda bem que você passou adiante aquela porcaria.

Ximeno, que fazia tenção de pedir o olho de volta, agora que tivera sua serventia, não insistiu:

— Tempos atrás, o chofer que trouxe Mariana quase teve um parto no automóvel. A moça estava madurinha, madurinha.

— Virge, e como é que foi?

— A moça não tinha marido. Foi parar no Hospital da Marinha. Depois veio trazer a meninazinha para o chofer batizar. Taxina, de nome, veja só, Tomázia.

Só de madrugada, quando foram à geladeira de querosene depois de se haverem alimentado minuciosamente um do outro, é que Gil e Mariana conversaram, refazendo com carne e com frutas sua força de amor e ternura.

— Meu bem — disse Mariana —, agora temos de arrumar de novo tua casa.

— Talvez não, dependendo de você.

Mariana sentiu velha angústia. Tempo parado. Não exatamente a atmosfera da avenida Niemeyer, quando começava sua loucura por Mansinho, mas ainda assim a sensação do destino de Gil em suas mãos. Mariana sorriu, como se não acreditasse inteiramente no que ele dizia.

— Depende de mim você viver entre malas e caixotes?

— Também se poderia colocar o problema assim. Mas no caso há mais do que isto. Eu estou com um livro inteiro querendo sair de dentro de mim. Não tem mais nada de cidade, de revolução, de comunismo, de possessos. Um livro atravessado de rios, de raízes, de bois e boiadeiros.

Gil afastou a cadeira da mesa em que comiam.

— Eu quero ir para a zona das Águas Emendadas, lá para as nascentes do Paraguai. Tenho até um rancho em vista no

Chapadão, de um caçador conhecido do meu vizinho Ximeno, que trabalhou com ele de zagaieiro. A gente fica entre águas que descem para o Sul, para o Paraguai, e águas que correm para o Norte, para o Amazonas. Às vezes são águas duma mesma lagoa, feito eu e você, mas que vão sair no mar a sete mil quilômetros umas das outras, feito você e eu.

— Meu querido!
— Ou não? Ou não é mais assim?

Gil sentou-se de novo, segurou as mãos de Mariana.

— Passou sua loucura por aquele pulha, Mariana? Sabe que eu nunca entendi, nunca. Eu podia matar o farsante e...

Mariana colocou a mão na boca de Gil.

— Não pense mais em Mansinho. Eu sou tua de novo. Estamos na mesma lagoa. Só que...

— Só que o quê?

Mariana levou as mãos à cabeça, num gesto de desespero cômico.

— Nós estamos aqui para fazer uma revolução, Gil, para derrubar a ditadura militar, meu amor! Nós somos soldados, guerrilheiros, vamos transformar o mundo a partir de Corumbá.

— Eu não mais — disse Gil. — Pedi demissão.

— Mas então a gente não deve fazer a revolução, Gil?

— Deveria, provavelmente. Mas acho que ninguém está querendo mesmo, eis a verdade. Eu vim aqui encontrar o sargento Joelmir, que simplesmente desapareceu E esse era um simples, um duro. Nossos companheiros não querem realizar a revolução e sim realizar-se nela. Acho que talvez sejam assim os que começam a revolução. Talvez até morram nela como carne de canhão, carne rara. São os faisões da revolução. São fragatas, que talvez significhem alguma coisa na esteira de um couraçado, de um Lênin. Mas só fragatas, centenas de fragatas não dão um couraçado não.

Mariana pensou com tristeza no porre do Bar Don Juan, no couraçado Potemkin do pobre Paulino, trancado no carro da Radiopatrulha.

— Você pode ter razão, você tem razão em relação a nós, em relação talvez ao próprio João. Mas trata-se agora de seguir um couraçado de verdade, Gil. Quem está na Bolívia é o Comandante Che. É couraçado ou não é?

Gil assentiu com a cabeça.

— É sim. E eu não pretendo cooperar no seu afundamento. Pelo jeito, bastam os bolivianos.

Até um determinado momento Eustáquio sofreu fome, sede e doença com orgulho. Era humilhante e chato sentir o corpo da gente tão delicado. Corpo de moça, pensando bem, de palmito descascado, sem couro, sem pelo, sem nem escama, nada, e o sangue logo por baixo, batendo e batendo contra a pele, não só nas veias mas em toda parte, saindo no espinho, na navalha do capim, na pedra dos penhascos e de repente jorrando de um balaço que acaba com a barriga inteira de um homem, como aconteceu com a barriga do Tuma. Tuma nublou os olhos do Comandante quando tirou do pulso o relógio para o Comandante entregar ao filho nascido na sua ausência. O Comandante tentou operar o Tuma que era aquela confusão de intestinos sanguinolentos e que tirava do pulso o relógio para o filho como quem tira a única coisa que não sangra e não se mancha de sangue como ele todo, encharcado das botas à boina. Mas o Comandante dizia, como é mesmo que ele dizia, dizia que nos dias de hoje o guerrilheiro é o bicho mais importante, querendo dizer que é o homem mais importante, pelo menos foi o que Eustáquio entendeu quando o Comandante parecia querer arrumar as tripas do Tuma para fazer ali mesmo o Tuma novo, da raça guerrilheira, ou quando tocou com as mãos o fêmur partido de Rolando, veterano de Cuba, que se esvaziava de sangue como uma esponja espremida se esvazia de água. Daquele osso branco na massa sangrenta Eustáquio achou que o Comandante lívido de dó e de dor ia refazer Rolando inteiro e meteu-se na cabeça dele a besteira de achar que o Comandante não tinha feito isto porque havia tantos companheiros rodeando Rolando que se esvaziava de sangue e olhando o Comandante que tocava o fêmur: Pombo, Antônio, Ricardo, Júlio, Pablito, Dario, Willi, Luís, León, Inti, Nato, Pacho, boinas na mão, olhos cravados em Rolando, que chegara antes de Eustáquio à serra, que morria antes de Eustáquio em Ñancahuazú. Mortes muitas presenciara Eustáquio e padecimentos tinha visto todos, mas até um determinado momento soubera que ali, como outrora na serra, a guerrilha antes de vencer tem de beber seu próprio sangue e comer suas carnes, mas no meio do mês de agosto Eustáquio pensou que, honrosamente embora, o Comandante ia dissolver a guerrilha na Bolívia, atravessar alguma fronteira. Por que insistir depois de meados de agosto, quando o exército boliviano encontrou os esconderijos de armas, de víveres, de remédios da guerrilha? Tinham caído todos os esconderijos, em El Horno, em Ñancahuazú, em Monte Dorado: as metralhadoras leves e pesadas, a munição, os morteiros, o plasma sanguíneo para os feridos, a novocaína contra asma, documentos, fotografias. Aquela noite Camba se aproximou de Eustáquio:

— Estive trocando ideias com o Chapaco.
— Quem é que emprestou as ideias para vocês trocarem?
— Não brinca, Eustáquio, nós estamos fodidos.
— Você sempre achou, Camba.

Camba passou a mão na barba rala, nas maçãs salientes do rosto, nos cabelos lisos, mão amarela no rosto macilento. Por que aquela cor infundia asco em Eustáquio? Nem pena, nem curiosidade. Asco. Tem pouco sangue, o Camba, pensou Eustáquio, não dá para fazer bicho novo.

— Sabe, Eustáquio, eu valho muito mais do que você pensa.
— Bom que você não pensa igual a mim, não é mesmo?
— Eu valho porque sou covarde.

Camba deu de ombros, sacudiu a cabeça.

— Ter medo de ser covarde é uma merda, sabe. Esta guerrilha começou com o pé esquerdo. Não tem nada que dê certo. E agora eu duvido que alguém saiba o que é que a gente está fazendo aqui. Não ser covarde nessas circunstâncias é ser burro ou maluco, você não acha não?

— Fale o que você quiser, Camba, a voz é sua — disse Eustáquio, querendo ouvir mais. — Com o Comandante a gente ganha. É matemático.

Camba coçou a cabeça, tirou do bolso um cigarro amassado, segurou-o pelas pontas, com as duas mãos.

— Quer a metade?

Eustáquio fez um esforço para balançar a cabeça num não. Camba acendeu o cigarro, tirou uma fumaça lenta e Eustáquio quase pediu o cigarro emprestado, para uma tragada. Mas alguma coisa lhe travava o impulso, a mão amarela, a cara amarela.

— Até agora — disse Camba — não grudou na gente nenhum camponês, e só falam com a gente os camponeses que a gente paga muito bem para nos contarem mentiras e venderem leitão magro. Soldado só liquidamos uns pouquinhos. Nem os cães policiais dos soldados a gente consegue matar. A guerra estava assim há muito tempo, besta para o nosso lado, sem saída. Mas agora é o pega para capar, Eustáquio, é o fim da gente. Vão nos comer os colhões.

— Quem tem, não é mesmo? Você vai deixar um soldado com fome.

Não era mais apenas a cor amarela, já identificada, que fazia Eustáquio sentir nojo do Camba, até o cheiro maldito ele tinha.

— Se você está querendo passar sebo nas canelas, Camba, fala antes com o Comandante e vai embora. Se você desertar para ir falar na gente com o pessoal do Ovando, eu te meto uma bala nessa cara de banana.

Camba cortou a ponta consumida do cigarro e atirou-a fora. Atirou aos pés de Eustáquio a guimba boa.

— Fuma. Talvez seja o último.

Camba se afastou e Eustáquio angustiado viu dentro de si mesmo que lhe dava razão, que os pulhas podem ter razão, que não tinham mais estoques, não tinham mais refúgio. Precisava falar ao Comandante, alertá-lo a respeito de Camba mas também perguntar umas coisas, saber que esperanças podia haver ainda. Orientou-se na direção do Comandante por ouvir em surdina o rádio ligado em que ele escutava as notícias, ao pé de uma lamparina mortiça, sentado no chão. Eustáquio ia interpelá-lo, com humildade mas com a eloquência que o caso requeria. Deu boa noite e o Comandante respondeu, mas sem levantar a cabeça, sem olhá-lo, e Eustáquio criou uma força de raiva para falar claro e cortante e até para dizer que o Camba era um pulha, mas que em certos momentos os pulhas e covardes servem de instinto de conservação. Aí reparou que o Comandante estava, isto sim, concentrado no abscesso que rasgava com um bisturi no próprio pé.

— Diga, Eustáquio — falou o Comandante com cuidado, para não mover a mão.

Eustáquio se deteve, não querendo dizer mais nada.

— Posso ajudá-lo, Comandante?

— Gostaria que você guardasse minha arma uns dois minutos, para a mão ficar mais firme.

Eustáquio voltou em silêncio, olhando fascinado a mão que cortava e que depois cobria com gaze o orifício aberto. Nem escutava o que o rádio dizia. Feito o curativo, criou coragem:

— Nada boas as notícias, não, Comandante?

— As de La Paz não. Você não está ouvindo?

— De La Paz? Eu pensava em nossos esconderijos descobertos.

— Pois em La Paz, devido a fotos e documentos encontrados nos esconderijos, a Polícia prendeu Loyola Guzmán, lembra-se dela? A moça estudante de Direito que nos ajudava e que esteve conosco no início, em Ñancahuazú?

— Lembro, como não.

— Pois dizem as notícias que ela se atirou do segundo andar da Polícia ao ser interrogada.

— Então... Quer dizer que foi atirada, não?

— Foi. Sabe por quê? Porque não falou nada, porque acreditou em nós e em nossa capacidade de vencer. O que é que você queria me dizer?

— Bem, Comandante... É o Camba, sabe. Não sou delator não, mas acho que ele está querendo largar a guerrilha e o melhor seria o senhor falar com ele.

— Ele está sob vigilância, Eustáquio, pode deixar. Mais alguma coisa?

— Nada, Comandante.

— Então, vá descansar que amanhã antes da marcha discutiremos a figura de Loyola Guzmán. Vamos saber do Camba o que é que acha dela.

Foi diferente a lição que teve Eustáquio, que tiveram todos, mais à altura de Loyola Guzmán, cujo corpo se partira no leito duro das pedras de La Paz como o corpo de El Pelao se partira nas farpas rochosas de Ñancahuazú antes de sumir nas águas. A alvorada foi às 5 da manhã e Eustáquio sentiu que com as más notícias da véspera o Comandante urdira de noite como sábia aranha uma teia nova de disciplina. Havia soldados do lado de cá e se não se cruzasse o rio Grande uma vez mais podia fechar-se a ratoeira, mas o Comandante decidira que ninguém ia atravessar o rio num salve-se quem puder. Primeiro havia-se de beber a água quente em que se ferveram umas últimas folhas de mate. Depois o Comandante havia de designar uma patrulha chefiada por Antônio para observar os primeiros movimentos dos soldados, caso se aproximassem. Depois se havia de arrear o mulo que a todos atrasava mas que era a montaria de El Moro, entrevado pelo lumbago, e afinal se daria a injeção de sedativo no Moro, para que pudesse cavalgar o mulo. Porém mal entrara no Moro a agulha da injeção que o Comandante lhe aplicava quando se ouviu o tiroteio. Antônio disparara antes do tempo, sem avisar os companheiros, quase causando morte entre a guerrilha enquanto os soldados desapareciam sem dúvida para voltar com reforços. E quando a tropa em pânico queria precipitar-se ao rio para cruzá-lo de qualquer jeito a voz em geral controlada do Comandante rugiu o nome de Antônio como se existisse na mata um felino que rugisse *Antônio* e o pobre Antônio aturdido de medo e susto se apresentou com o fuzil ainda quente dos tiros e foi violentamente sacudido pelo Comandante como se fosse uma árvore que se devesse abalar para soltar no chão os frutos do medo. Ou era a própria árvore que o Comandante condenava para que não ousasse mais crescer com aqueles frutos no meio de uma guerrilha? Porque Antônio, quando livre das garras em que tinham se transformado as mãos dos curativos, caiu no chão aos soluços, numa abjeção de remorso diante da tropa imóvel e de um Camba cor de morte agora por baixo da amarelidão.

— Podemos morrer de tudo, Antônio, menos da covardia de nós mesmos.

Nunca um rio foi cruzado com maior ordem e garbo do que o rio Grande naquele dia, a tropa cautelosa mas pisando firme, os homens em silêncio entre as árvores e as capoeiras mas num silêncio de serpentes que sabem onde vão, fechada a tropa pelo Comandante que puxava pela brida o mulo que transportava o Moro dobrado em dois de dor, o Moro que num sussurro, curvado sobre o pescoço do animal, implorava:

— Comandante, me deixe por favor. Me largue aqui. Não é possível atrasar a marcha com um burro inútil montado num mulo. Não é próprio de um capitão de guerrilhas pôr em risco a vida de todos por causa de um aleijado.

E o Comandante, afagando o pescoço do mulo, não se sabendo bem se respondia ao Moro ou se falava ao mulo:

— A gente precisa se endurecer, mas sem perder a ternura.

7

Gil e Mariana tinham voltado à cama e se amado de novo e adormecido e, ao despertar, Mariana teve de início a impressão de que vinha de algum mau sonho porque a ideia de sangue estava presente ao seu pensamento, mas era sangue misturado a creme de espinafre e arroz, e ela entendeu que apenas relembrara no meio-sono sua experiência de doar sangue, quando descia um dia da praça Paris para a Lapa. Andava desgostosa consigo mesma, como de costume, e a vista do Banco de Sangue sugerira o ato de altruísmo a realizar na manhã de sol: depositaria sangue em vez de *expropriar* depósitos em dinheiro. Tomou a laranjada que lhe deram, estendeu o braço ao garrote e à agulha e partiu transfigurada pela experiência, em paz. Pisava leve no chão, consciente de sua transparência, da sua nobre anemia, e entrara espectral num restaurante da rua Senador Dantas. O bife com espinafre e arroz, e o chope gelado, tinham acabado brutalmente com seu estado de graça. Lembrava ainda o impulso de retornar ao banco para apanhar em alguma prateleira o frasco com seu sangue e pisá-lo com o salto contra o ladrilho da enfermaria: como se aquele sangue doado em seu benefício próprio fosse envenenar os que dele precisassem.

Antes de adormecer, e diante da desesperada insistência de Gil por uma resposta, Mariana tinha dito:

— Logo que cumprir minha palavra com João, sigo com você para o Chapadão.

Doava alguma coisa à revolução durante uns dias e depois ia comer anta com arroz selvagem ente duas bacias hidrográficas. Arrependera-se pouco depois do dito porque sentira logo que perdia o controle da sua decisão. Gil saltara da cama e fora às caixas onde guardava papéis, numa súbita fúria de separar e classificar manuscritos, dizendo:

— Este é para João, este para Murta, este para Geraldino.

Mariana meio inquieta tinha gracejado:

— Ué, e para mim, nada?

Gil trouxera até a cama um fichário de capa preta, com folhas escritas à mão: *Livro do que fazer*, e ela começou a folhear, com inquietação ainda, mas em breve com um arrepio de orgulho, o livro em que não era personagem elaborada em ficção, como nos romances de Gil, e sim ela própria num exagero de si mesma, como se um bando de fisiólogos, psicólogos e cupidos liliputianos se houvessem espalhado por sua superfície e se intrometido por suas orelhas e suas fendas para apresentarem a algum rei de outra raça animal um relatório sobre o surpreendente ser mulher estudado em sua plena glória. Quando Gil descobrira tudo que queria entre a papelada e voltou à cama, Mariana lera adiante e sentia-se agora na impossibilidade de pensar, colocada que estava diante de uma tela de *cinéma-cochon* em que era ela a única estrela. Gil olhou a página em que estava Mariana e deitou-se, para fazer o que dizia o livro.

Mariana perplexa quis voltar ao hotel, pelo menos para chegar à casa de Gil como participante do grupo vindo do

Rio, mas podia fazer um ridículo desses, de levantar da cama de Gil, retornar ao hotel e entrar de novo pela porta da frente? Mariana ficou. Não lhe diziam todos o tempo todo que devia voltar a Gil? Pois que se fizesse a vontade deles. Preocupou-se em ter as roupas à mão. Preferia não ser apanhada em pelo pela chegada dos outros. Foi apanhada com um roupão de Gil, vermelho-escuro, enquanto fazia café. Pôs algumas colheres mais de pó na panela, e, antes de aparecer na saleta da frente com o bule e as xícaras, vestiu-se. Na sala se encontravam Laurinha e João, Murta, Geraldino, Aniceto. Gil perguntava a João:

— Então, Joelmir aderiu a Valdelize e estabeleceu-se rancheiro em Miranda?

João fez que sim com a cabeça.

— Menos um para a revolução — disse Gil.

— É — suspirou João —, mais uma para a vida privada. Joelmir, pelo menos, ainda nos dá as armas para lutarmos na Bolívia.

Mariana entrava com o café e Gil respondeu:

— Eu dou café, João, talvez o último café, se é que vocês vão partir mesmo para as cruzadas.

Murta, sonolento da viagem de trem que tinha feito na véspera e durante a qual tomara uma garrafa inteira de conhaque da Noroeste do Brasil, pediu cama:

— Por que é que a gente não descansa um pouco antes da conversa? Eu mal larguei a mala no hotel e vim para cá. Me arranja um quarto aí, Gil.

— Quarto só tem o meu.

— Então empresta a cama.

— Está desmanchada.

— Gil prefere combinar logo algum plano conosco — disse Geraldino conciliatório.

— Eu prefiro — disse Gil — deixar claro uma coisa. Se vocês se convencerem da inutilidade de uma revolução sem preparo e sem chance de ganhar, podemos fazer várias coisas, inclusive alguma caçada de onça, que alivia a vontade de dar tiro. Se continua em vigor sei lá que plano de sublevar o continente com meia dúzia de gatos pingados, eu pediria a vocês que ficassem em minha casa o mínimo possível de tempo. Se ficarem aqui muito tempo, me comprometem. Pretendo ir escrever na zona do divisor de águas e não no cárcere do Batalhão de Caçadores de Corumbá. Aqui, quando não sopra o vento sul, faz quarenta graus de calor o tempo todo.

João sorriu:

— Você deve sua fama a romances brasileiros sobre o preparo da revolução.

— Pois agora abandonei a ficção.

Murta bocejou:

— Para adotar a ação, foi o que imaginamos, a ação revolucionária.

Gil marchou para os papéis que tinha arrumado.

— Vocês ainda querem fazer a revolução, não é? Pois eu colecionei as revoluções brasileiras para vocês. Tenho aqui um monumento ao trabalho intelectual perdido. Notas e notas para o grande romance da revolução brasileira.

Gil foi distribuindo feixes de páginas:

— Para o camarada Murta, tenho aqui Arraes, Julião e a revolução nos campos. Documentei o trabalho das Ligas Camponesas e dos sindicatos rurais do Nordeste. Para Mansinho ausente, se lhe interessar, tenho a revolução pelo foco de Brizola, com a formação, e em seguida o abandono, de grupos guerrilheiros por toda parte. Ao camarada Geraldino ofereço os padres na revolução, o retorno do Cristo às multidões, a missa de iê-iê-iê. Para João há de tudo, do cristianismo marxista dos santos espanhóis que, segundo ele, foram buscar o canto dos esponsais da alma de Deus na cama do povo, até a história do Partido Comunista, que vai do brilhante Prestes dos inícios ao morigerado pai de família em que ele se transformou, e até a rebelião de Marighela, contra Prestes. Documentei tudo, arrumei tudo, e esperei até agora o fio condutor, uma bela história qualquer, uma resistência armada de seis meses e quatro cadáveres. Aprofundei meus tipos, acelerei vocês, coloquei todos a postos, prontos para a ação. Vocês ficaram irreconhecivelmente belos e terríveis. Eu me contentava com qualquer gesto positivo de revolução e soltava a matilha de vocês no centro da história, fosse ela qual fosse. Os personagens estão aí nessas folhas feito troncos secos armados em fogueira. Mas ninguém me deu uma fagulha, nada. Ninguém tinha gasolina, fósforo, isqueiro. Pode-se fazer ficção de quase tudo, mas inventar uma revolução é impossível.

— Vivemos uma pré-história — murmurou João.

— Então, João, você trate de fazer a história e me deixe com meus livros sobre o Brasil pré-histórico. O Brasil é um urso que hiberna inconsciente, vivendo das gorduras. Nós somos no máximo pulgas no pelo dele. O Brasil de hoje só terá a história que eu lhe der. Eu posso inventar o Brasil aprofundando aquilo que ele é, assim como aprofundei vocês nestes papéis. Mas não posso inventar fatos históricos.

— A revolução a gente tem de fazer — disse Geraldino.

— Pois então façam — disse Gil. — Fidel fez a revolução dele. Cuba já dava um romance. Mas essa atividade de aliciar patuscos para roubar metralhadoras e assaltar um banco ou outro e depois não acontecer nada, isto não leva a coisa nenhuma. As anotações estão aí, se vocês não levarem, vão para o fogo. Não posso usar nada desse material em outros livros porque vocês, a menos que mudem, só chegariam ao desenvolvimento de vocês próprios mediante a revolução. Eu não quero escrever um livro sobre pessoas que se imaginaram feitas para produzir história e viveram vidas frustradas num país pré-histórico.

Murta exagerou um bocejo natural em ruidosa demonstração de tédio:

— Agora, minha gente, temos mesmo de fazer a revolução, para Gilzinho não perder as notas dele.

— Não precisa não — disse Gil —, basta me deixar de fora da revolução que vocês não vão fazer. Eu já passei para outra literatura. Estou despachando para o editor um livro que é o monólogo interior de uma onça que se domestica a si própria ao ponto de ajudar o fazendeiro a encontrar boi fujão.

— Que graça — disse Murta —, isto é símbolo de alguma coisa?

— Talvez — disse Gil —, mas menos hermético do que o símbolo de João, de que a revolução brasileira existe mas ainda lhe falta o inimigo.

— Gil! — disse João ofendido. — Não foi isso que eu falei.

Gil riu:

— Bom, não foi bem isso, mas foi por aí. Você chegou a garantir que se todos os americanos que nos ocupam ficassem fardados de repente a revolução estourava. Isto você disse, não disse?

— Ora, Gil — disse João —, um detalhe, uma expressão de desespero contra o inimigo sofisticado e competente. Agora temos a revolução em marcha na Bolívia, ali, do outro lado do rio Paraguai. Se você não quer agir, não aja, mas não adote também esse tom de Moisés cansado de vaguear pelo mundo com seu povo. Se não quer correr os riscos da ação, perfeito.

— Perfeito — disse Gil —, mas enquanto estamos no capítulo dos americanos deixe-me fazer uma advertência. Pelo jeito que as coisas tomam é capaz de haver nos Estados Unidos uma revolução de esquerda antes da de vocês. O Brasil muda de *establishment* sem mudar de patrão. Tudo isto posto na mesa, me diga: o que é que você deseja de mim?

— O que você ainda quiser dar. Esta casa pode ser utilíssima em lugar de ficarmos todos nos hotéis de Corumbá.

Gil guardou silêncio. Murta disse, espreguiçando-se:

— A casinha, Gil, umas caminhas para nós e não só cama para Mariana. Enfia o enredo do teu romance nesta casinha cheia de porras-loucas, descreve nossa inutilidade aqui dentro, e está o livrinho pronto para você faturar.

— Acontece — disse Gil — que quando larguei vocês resolvi vir para cá com a ideia de me isolar e trabalhar, e não de bater papo e tomar café até raiar o dia.

— Você nos reserva uma parte da casa — disse João. — Tem um telheiro lá fora, não tem?

— Lá mora meu cavalo, é a estrebaria.

— O cavalo também precisa de isolamento? — disse Geraldino.

— Claro. Cavalo dorme de noite, como toda a criação. Mas pode ficar um de vocês aqui, se for inevitável. Eu arrumo João e Laurinha para o pernoite.

— Eu não posso. Preciso ficar em contato com Puerto Suarez — disse João.

— Celebrando um aniversário? — disse Gil.

— Que aniversário?

Gil tomou das mãos de João os papéis que lhe entregara:

— Está tudo pormenorizado aí — disse Gil. — Há exatamente quarenta anos, em fins de 1927, Astrojildo Pereira, secretário-geral do Partido Comunista Brasileiro, tomava um carro em Corumbá e ia a Puerto Suarez, ao encontro de Luiz Carlos Prestes, que se exilara na Bolívia depois de vagar três anos pelos sertões do Brasil à frente da Coluna. Ia de missionário, catequizar Prestes para o comunismo, e passou a fronteira meio apreensivo, pois levava toda uma bagagem de livros de Marx, Engels e Lênin, em francês, editados por *L'Humanité*. Astrojildo já morreu, sem ver os frutos da sua plantação, e Prestes deve estar ensinando francês aos meninos nos livros que recebeu em Puerto Suarez. Eis o trabalho revolucionário de quatro decênios.

— Em nome da Revolução — disse o Murta — nos penitenciamos, por haver assim dissipado vosso esforço mental, e os tipos de vossa máquina de escrever.

— Não seja por isto. Eu ainda tenho tempo de mudar de rumo. Se Mariana for comigo para o Chapadão provavelmente fico lá uns dois anos. Se não, toco antes para a Europa, seguindo o exemplo de Cortázar, Garcia Márquez, Astúrias, Vargas Llosa, Alejo Carpentier. Ou então construo aqui mesmo um castelo inglês, como o de Borges em Buenos Aires. Todos eles sabem que o urso está dormindo.

Mariana se levantou:

— Chapadão ou não, ninguém sai daqui sem almoçar que o feijão está no fogo.

Gil, que começava a nutrir esperanças de ver todos partirem, resolveu agir com cautela. Mariana tinha se levantado num impulso de mau gênio, carregando Laurinha para a cozinha. Precisava não espantá-la demais.

— Claro que vamos todos almoçar — disse Gil. — E vou tomar emprestada a meu vizinho Ximeno uma garrafa de cachaça.

— Traidor e renegado — disse Murta —, me deixe dormir meia hora que eu tenho fome, mas não tenho sequer forças para almoçar.

— Então venha deitar — disse Gil. — Eu vou com Aniceto buscar a cachaça.

João ficou um instante imóvel, ao saírem Murta, Gil e Aniceto, depois tirou do bolso do blusão um comprimido, que triturou com os dentes. Geraldino sorriu:

— João, você é um bravo com a mania de doença. Há alguma explicação? Quem tem medo da morte não sai à sua procura.

João fez um gesto vago com a mão:

— O importante é morrer com saúde.

Ximeno, depois de apresentado a Aniceto, declarou com firmeza que só emprestava a garrafa de cachaça se os dois visitantes tomassem antes um trago com ele. E Gil, voltado agora para outro tipo de gente, reparou logo com interesse e também com alívio que Aniceto de súbito parecia regressar a um elemento seu, ao olhar as peles de onça; as zagaias, a velha Springfield de caça que Ximeno mantinha perfilada a um canto. O alívio provinha do fato de que, enquanto fazia seu sermão aos revolucionários, só a presença de Aniceto perturbara Gil, Aniceto calado no seu canto, olhando-o com os olhos claros na cara cabocla. De todos os presentes só aquele o envergonhava. Até que ponto Aniceto poderia entender e aceitar suas razões? E até que ponto suas razões podiam talvez salvar a vida de Aniceto, encaminhando-a de volta a um nível anterior? Sua frieza e seu cinismo, mais a maluquice do Murta, podiam talvez preservar Aniceto, que era músculo e dente de urso dormindo, que se movia entre as peles de onça de Ximeno sem pisar em cima delas, como se andasse entre túmulos de família.

— Que é isso, gente? — disse Aniceto.

E Ximeno, orgulhoso:

— É tudo caveira de onça, amigo Aniceto.

Aniceto empunhou uma das zagaias, o cabo longo, a lâmina pesada. Em silêncio, mediu um palmo de folha de aço, da ponta até o travessão. Olhou, sob o travessão, a parte oca da base do ferro, onde a lâmina se entronca na vara de metro e meio de madeira.

— O travessão — disse Ximeno — não deixa o ferro entrar mais que isso. A onça se espeta e a zagaia continua na mão da gente.

— E o cabo? — disse Aniceto. — Tem jeito de louro-preto.

— É o que é — disse Ximeno em tom respeitoso.

— E matou muito bicho, essa zagaia?

— Essa é a mais nova. Matou umas três lá na Bodoquena. Virgem aqui não tem zagaia nenhuma.

Aniceto brandiu a zagaia, em riste, os olhos luzindo.

— Cachorro ajuda, pois não?

— Cachorro e espingarda. Mas com espingarda até que é covardia. Tem os cachorros para acuar o bicho, tem o caçador com a espingarda, e quando o caçador erra a gente ainda cutuca o bicho na zagaia. Caçada bonita é na zagaia só, seu moço. A onça quer passar pelo ferro e gadunhar a gente, abraça a zagaia e sai depressa para trás, negaceia, dá uma patada num cachorro, depois se espeta um pouco mais...

Aniceto, zagaia em punho, olhos fixos na onça do tapete, parecia tomar uma lição.

— Afinal a gente fisga mesmo, ela se encurva toda na grossura do espinhaço dela feito arco que vai largar flecha, mas a zagaia já entrou fundo e...

Aniceto estava quase atacando o tapete quando esbarrou nos olhos de vidro da cabeça da onça, aqueles olhos de mel e de limo, e imaginou numa tonteira que ia zagaiar a Da Glória. Parou de chofre, certo de que nunca ia matar uma onça se encarasse com ela, apoiou a zagaia contra a parede, e agora que não se enfrentava mais com a onça olhou com quase amor aquela arma que nem tinha ciência que existisse mas que lhe lembrava sabia lá que armas vistas em estampa de livro ou em sonho, sabia lá. Se Aniceto estava fascinado pelas zagaias e pela densa atmosfera de caça, o velho Ximeno não estava menos impressionado por aquele moço que nunca tinha visto zagaia na vida e segurava zagaia como se fizesse parte do cabo de louro-preto. Ximeno falou:

— A gente podia é marcar uma caçada, não é, Gil? Me dizem que lá para as bandas de Miranda Estância deu uma praga da pintada. Ia nós três.

Gil olhou Aniceto cujos olhos brilhantes ainda fitavam a zagaia de Ximeno mas que, com esforço embora, se desviaram. Ao fitarem Gil estavam tranquilos. Tranquila era também a voz de Aniceto.

— O Gil sabe que eu tenho de voltar para Corumbá, seu Ximeno. Depois, mais para adiante, quem sabe?

Aniceto metido na revolução verdoenga, fiel à sua palavra talvez, feito Mariana. Gil odiava a ideia da volta de Mariana a Corumbá e de sentar-se ele sozinho de novo diante da máquina de escrever. Países feitos jiboias digerindo o caos e uns homens aqui e ali pretendendo erguer disciplinadamente a jiboia ao som de flautas. O Brasil que ia ficar era o dele e não o Brasil impossível dos revolucionários. O país vai seguir o livro, pensou Gil. Não pode desmenti-lo, desmoralizá-lo.

No finzinho da rua Frei Mariano, Mansinho, acompanhado do Murta e de dois amigos cujos endereços trouxera do Rio, bebia cerveja nas cadeiras da calçada do Comercial Restaurante Qualidade e Esmero. Das mesas no terraço do La Barranca divisava-se o Paraguai, mas Mansinho só estivera lá uma vez, na pista de uma corumbaense que, embora acompanhada, retribuíra três vezes os olhares ardentes que lhe dirigia o homem magro e baço, de cara triste, em quem a moça sentia que causava uma paixão desesperada. Ela se lembrava mesmo de quando, menina ainda, dormindo em rede no quintal da casa, seu irmão tivera a ideia sem graça nenhuma de lhe queimar o ombro direito com uma lente em que concentrara o sol das duas horas da tarde. Pois agora, instintivamente, procurara no ombro o sinalzinho da queimadura, de tanto que sentia arder na pele a mirada de Mansinho. Tivesse Mansinho imaginado o efeito profundo dos seus olhares na moça corumbaense e talvez se houvesse dedicado inteiro à sua conquista, esquecendo o que queria fazer em Corumbá. Mas limitou-se a suspirar fundo, quando a moça partiu com seu acompanhante, sentindo mais uma vez com os dedos o ombro que há tantos anos o irmão começara a incendiar. E Mansinho tinha voltado ao Comercial, onde novamente se achava agora, com o Murta e os dois amigos locais, extasiados os quatro com a paisagem do outro lado da rua.

Havia, pegados um ao outro, o Banco Mercantil e Industrial de Mato Grosso, o Banco Português do Brasil, e, depois de uma loja dos Serviços Aéreos Cruzeiro do Sul, a Caixa Econômica, último prédio da rua, que ali descia para a beira do rio. Ainda havia o Banco do Brasil, na primeira esquina para cima, rumo ao centro da cidade, mas aqueles dois bancos e a Caixa Econômica, pequenos, amontoados, eram a própria e distraída família bancária do interior aguardando a fecundante visita de assaltantes em busca de fundos para a revolução. Mansinho tinha mesmo a impressão de que os amenos banquinhos eram capazes de oferecer a quem os assaltasse café quente, mãe-benta, biscoitos de polvilho, amanteigados. O banheirinho do Mercantil e Industrial Mansinho já pedira até licença para usar, e, enquanto dava sua mijada, comprovara o tamanho adequado para encerramento do pessoal, além de aprovar suas condições higiênicas. O caixa, a quem ele se dirigira, tinha cabelos brancos e usava pala verde sobre os olhos, o que lhe dava um glauco toque submarino à expressão benigna. Perto dele, a funcionária que entregava fichas aos clientes enquanto o cheque se processava era gorda, grisalha também, tão maternal que fez Mansinho pensar em dona Adelaide. Mansinho se divertiu discretamente imaginando a velha a chamá-lo, depois do assalto, se ele tivesse deixado de vasculhar alguma gaveta com maços das Santos Dumont atadas com elástico: "Você está deixando mil novos aqui, meu filho. Não é muito mas pode fazer falta." Assim sonhava ele, sorvendo a cerveja do Comercial, e o único ponto duvidoso do seu debate com os dois companheiros — ambos entravam com ele no banco e o Murta ficava ao volante do fusca — era a possibilidade ou não de assaltarem mais de um dos estabelecimentos bancários. A penca era tão sedutora, na sua ponta de rua perto do rio, e o esquema anfíbio de fuga — fusca, abandono do fusca na garagem beira-rio, lancha para a margem boliviana, trem de volta a Corumbá e a São Paulo — tão perfeito, tão feminino na sua doce mescla do sensacional com o recatado, que Mansinho mal evitava uma tumescência amorosa ao conferi-lo mais uma vez, como se houvesse fêmea no meio, como se a esperá-lo no barco estivesse por exemplo a moça que cobiçara no La Barranca. Resolveu-se afinal pelo mais sensato, que era o assalto a um só banco, mas que serviria de exercício e batismo de fogo para os corumbaenses: haveria tempo para os demais bancos da rua e muitos outros. Com a sua autoridade de especialista vindo do Rio, Mansinho consolou-os:

— Vocês terão tempo de sobra. Uma das coisas que acontecem quando a gente começa a fazer finanças para a revolução é que pela primeira vez se adquire consciência do número de bancos que existem no Brasil. É como quando se descobre, meninote, o número de mulheres que há no mundo. Primeiro vem o desânimo, a melancolia. Depois a determinação cega de dar em cima de todas, que leva ao desperdício, à confusão. No caso dos bancos leva em geral à prisão. Raia depois a era tecnológica, a do máximo aproveitamento das melhores chances com um mínimo de esforço. Vamos começar pelo Mercantilzinho, que tem boa-pinta.

Aos rapazes que o escutavam com atenção, Mansinho abriu então, depois de pagar a conta, o grande panorama vindouro:

— Depois vocês serão os garimpeiros da revolução. Vão extrair ouro da rede bancária do Planalto inteiro.

O dia seguinte da visita a Gil era o dia da chegada a Corumbá das armas prometidas por Joelmir. João fazia força para não deixar que Aniceto descobrisse seu humor sombrio. Mas alguém podia esconder alguma coisa de Aniceto?

— Negócio de guerra é bom a gente entrar nele alegre, não é mesmo, João? — disse Aniceto.

— Alegre?

— Sem muito prestar atenção a quem senta na beira de estrada. Tem sempre uns cabras de frouxa teimosia. E desalento é feito sarna, João. Basta a gente falar no nome e já está se coçando.

João assentiu com a cabeça. Não havia nada a acrescentar: estava desalentado. Mesmo porque, no seu tom orgulhoso, Gil ecoava Mansinho, que há pouco lhe dizia:

— Não adianta, João. Esta guerrilha michou. Basta ouvir o rádio boliviano para ver que ela não escapa. Já tem mais americanos lá do que no Texas. Vamos continuar preparando a revolução no Brasil. Temos de juntar dinheiro. De assaltar bancos.

Murta estava de acordo. Também ficava no Brasil, assaltando bancos. João tinha até tomado uma papaverina, tamanha a pressão que sentira no peito, e uma dose de bicarbonato para a digestão. Aniceto continuou:

— Só que agora a gente tem de entrar na guerra decidido, não é mesmo? Pensar pouco e ir em frente. Carece não, ter pena de filho da puta não.

Aniceto lembrou o dia recente do telefonema e a chegada de um João sério, pálido, ao Bar Don Juan.

"Aniceto, eu sei onde mora um torturador. Ninguém me contou que ele tortura não. Eu vi."

Aniceto tinha tirado do fundo da gaveta o revólver que não matava ninguém desde Sesostris. João dirigiu o carro de mãos leves no volante, feito um piloto em volante de avião, mas tenso, exato, como se as ruas do Rio fossem escarpadas trilhas de cabras, cercadas de precipícios. Não falaram nada, do Leblon ao túnel Santa Bárbara.

"É no largo do Estácio que ele mora."

Por que é que João não desabafava, Senhor? Aniceto não fazia perguntas para não passar por um cabra suspeitoso. João mandando fazer aquilo só podia estar certo, pois não?

"O prédio é este. A janela ali."

O carro parou um instante, ao pé do meio-fio. Salinha de jantar acesa, mulher botando a mesa, homem lendo jornal numa cadeira. Do carro João tinha olhado o homem fixamente.

"É ele."

A mulher desapareceu por uma porta, bandeja na mão. Aniceto tirou a pistola do cinto, apontou. Ouviu a respiração opressa de João.

"Não, atira não, Aniceto" — e movimentou o carro devagar.

O ângulo do tiro tinha se alterado, mas ainda dava para fuzilar o cabra como se ele fosse um pombo num beiral de telhado: a bala ia varar o jornal primeiro e o cara depois. Aniceto tinha falado quase súplice:

"É ele, não é? Está quase no inferno. Atiro?"

—Não, Aniceto — disse João. — Agora é a luta de verdade. Eu sei no que é que você está pensando, mas era preciso exatamente manter pura a luta que vinha. A gente pode perder, mas não pode desfigurar o combate. Eu quase cometi um assassinato — e pela tua mão, Aniceto, feito um covarde. Botando o crime na tua conta.

— Minha conta é grande e o cabra era um torturador, não era?

— Era. Mas eu sozinho é que tinha julgado e condenado ele.

— Estava bem condenado, não estava?

— Mas por mim. Era uma vingança, Aniceto. Ele torturou Laurinha.

Aniceto respirou fundo, severamente feliz consigo mesmo. Não que tivesse remorso, mas... Ah, o canalha! Deteve-se antes de falar porque João escondia o rosto nas mãos, dizendo:

— Graças, graças a Deus que eu parei teu braço!

Aniceto suspirou, tirou do bolso um charuto e começou a cortar-lhe a ponta.

— E você, Aniceto? — disse João.

Aniceto tirou da boca o charuto que ia acender.

— Como é, João?

— Você fica também ou vem comigo?

— Eu não sou cabra de ficar não. Estou sempre indo. Ainda mais na sua companhia.

João agradeceu, apertando o ombro de Aniceto com a mão:

— Mas eu quero que você pense antes, Aniceto. Nem sei se a gente chega na zona da guerrilha, se morre antes.

— A coisa é a seguinte, João. Morrer nesse caso é de tiro mesmo, não é mesmo? O que eu acho é que você mais o Geraldino têm que se preparar direito. De tiro, João, eu não morro não.

João sorriu.

— Você pode morrer de febre, de fome, sei lá.

— Esses acasos estão sempre espalhados por aí, não é mesmo? Desses males de Deus a gente só morre no prazo cumprido. Tiro, quando o corpo não foi bem lacrado, é que apressa as mortes e deixa o cabra abobado no outro mundo, como quem chega na festa dia errado e encontra a casa fechada, o dono da casa de chinelo. Olha, eu descobri uma pajelança aqui em Corumbá, com bacia e tudo. Antes da gente partir, você, mais o Geraldino, devia...

— Vamos pensar nisto, Aniceto — disse João, olhando o relógio. — Antes temos de apanhar as armas que o tal Nogueira vai trazer.

— Se você quiser, eu marco dia com o homem do catimbó. Não custa nada. Ele bota na gente uma couraça leve de carregar como um anel no dedo. Não se tira nem para dormir.

O dia não deu para o catimbó porque João e Aniceto fizeram mil visitas à beira do Paraguai, diante dos armazéns e das casas importadoras de peles e couros. Ia um de cada vez à espera da chegada da lancha *Faceira*. Viram passar as imensas chatas com o minério extraído de Urucum, nas bandas de Ladário, os vapores de passageiros, as barcaças de lenha. Na manhã tórrida, rapazes e moças de Corumbá, misturados a *hippies* argentinos, tomavam banho nas águas barrentas. À tarde lavadeiras de chapéu de feltro na cabeça metiam-se na água, vestidas como estavam, ensaboando roupas de baixo, lençóis, macacões sobre tábuas apoiadas em pontas submersas do barranco. Quando o calor apertava mergulhavam até o pescoço nas águas e assim ensopadas prosseguiam no enérgico lesco-lesco de roupas batidas na madeira. À medida que o dia se extinguia João foi ficando nervoso, aguardando a *Faceira* que, pelos cálculos de Joelmir, chegaria no máximo até às duas da tarde. Voltando mais uma vez da beira do rio e cruzando na rampa com Aniceto que ia rendê-lo, João fez um gesto de impaciência e disse apenas:

— Estou no La Barranca.

Só havia uma mesa ocupada, por namorados, a um canto, e João sentou-se bem perto do parapeito, olhos pregados no rio. Encomendou um gim com água tônica.

— Bastante limão e muito gelo — disse ao garçom.

Sabendo que Aniceto o chamaria, caso surgisse a *Faceira*, João teria preferido sentar ali perto, fim da rua Frei Mariano, no Comercial Restaurante, que tinha cadeiras nas calçadas e onde se servia um delicioso sorvete de bocaiuva. Era sua descoberta de Corumbá, o sorvete de bocaiuva, fino e delicado como Heleninha, que ele conhecia no Rio e que tinha saído de um palacete para as ruas da revolução. Acontece que Mansinho estava lá quando ele descia a Frei Mariano e João preferiu dar a volta ao quarteirão a pôr o amigo ao corrente da chegada das armas. Mansinho se desgarrara tanto da ideia de guerrilha que não adiantava metê-lo no segredo. Quando João terminava o segundo gim, a noite, para desespero seu, trocara o pelo marrom do Paraguai diurno por um pelo preto. O rio lento deslizava agora feito uma onça canguçu, feita de trevas, invisível e compacta em seu negrume. Só o farol do barco furava de quando em quando o escuro, como se as pupilas da onça fagulhassem num lume de estrela. Bom para João foi ver de repente, assomando ao La Barranca como à procura de alguém que não fosse ele, Aniceto, que se limitou a aparecer, para dar o sinal, e sumiu de novo na noite, de retorno à beira-rio. João foi no seu encalço, o coração batendo forte. A *Faceira* deitava âncora na margem quando João chegou. Agora era encontrar o Nogueira, que se encarregaria de depositar as armas, em seu escudo de peles, num certo canto do portão da Curtidora Mundial. As instruções de Joelmir eram para João esperar até que saíssem todos. Nogueira seria o último e viria lhe falar. Uma prancha foi lançada da *Faceira* à terra e começaram a descer os homens, um, dois, três, fardos de pele às costas. Largavam os fardos com estrépito em plena rua, à frente da Mundial, que conservava aberta uma portinha no oitão. Apareceu um homem na porta, seguido de um crioulinho que foi carregando os fardos para dentro. Os da *Faceira* começaram a conversar com o homem e só então surgiu na ponta da prancha o último tripulante, cabeça baixa, curvado sob a carga. João e Aniceto se haviam juntado perto de uma árvore da margem, em plena escuridão. Ao passar a um metro deles o homem da *Faceira* disse:

— Já volto aqui, João.

Entregues os fardos, os outros tripulantes subiram a rampa, rumo à cidade. João, depois de um segundo de estupefação, disse a Aniceto:

— É Joelmir! A voz de Joelmir.

Joelmir entrou direto com sua braçada de peles depois de falar um instante com o homem da Mundial.

— Você não se enganou não? — disse Aniceto.

— Não. Juro que é o Joelmir.

Quando Joelmir se aproximou dos dois ao pé da árvore, a porta da Curtidora Mundial já se fechara. Foi João quem falou:

— Que boa surpresa, Joelmir. Aconteceu alguma coisa com o tal Nogueira?

— Aconteceu que a Valdelize é mulher às direitas. Viu que eu vinha mesmo e então me deixou vir.

João continuou, cauteloso, com medo de entender mais do que devia:

— Ela deixou você mesmo trazer as armas?

— Pois para falar toda a verdade, João, ela deixou eu vir usar as armas. Afinal de contas tem tanto tempo que eu desmonto elas, e passo óleo e tudo, não é mesmo?

João abraçou Joelmir um longo instante.

— Aniceto — disse João —, esse é o nosso sargento Joelmir, nortista como você, palmeira de dar cera. Joelmir é carnaúba da boa, não é carandá não.

— Como é que é isto, João — disse Aniceto, apertando a mão de Joelmir.

— Uma história que você vai apreciar — disse João. — Aliás, vocês dois vão se entender muito bem.

— Ah — disse Aniceto —, acho que isso não padece dúvida não. Pois o Mansinho não diz que eu sou, mais o Joelmir, a massa da sua revolução?

João achou que podiam correr um pequeno risco, tomando um trago no barzinho de sinuca que ficava lá na ponta da rua D. Aquino. Subiram a rampa separadamente, João em último lugar, fazendo força para não estugar o passo, para não perguntar mil coisas a Joelmir e aproximá-lo logo de Aniceto. Depois pensou com um calafrio na Da Glória que um dia contava com Aniceto de volta e na figura patética de Valdelize que a estas horas teria os olhos perdidos na escuridão que envolvia a horta e as palmeiras distantes, mãos no ventre, sentindo mexer o menino cujo pai andava em Corumbá e que em breve lutaria tão longe do sítio onde antes se preparava para envelhecer como um hortelão paraguaio de algumas posses, sorvendo o tereré da guampa com um canudo de prata.

Ao chegar de manhã cedo ao Grande Hotel, Geraldino encontrou João do lado de fora, nas cadeiras da calçada, jornal armafanhado a um canto da mesa, debruçado, lápis em punho, sobre uma folha de papel. O papel estava cheio de sua letrinha miúda, arrumada em versos. Havia versos mais ou menos caídos pelos cantos do papel, feito vinhas soltas buscando uma estaca em que se enroscar, e outros cerrados e perfilados na barra como soldadinhos de chumbo. A arrumação geral do centro da página era um soneto, escrito também em caligrafia exata e miúda, e a partir do soneto João ia enchendo todos os claros, até as beiradas de vinhas e trepadeiras. Quando Geraldino se sentou à mesa, João apenas aumentou o volume de voz com que a si mesmo repetia as palavras que ia escrevendo:

> *Que bien sé yo la fonte que mana y corre.*
> *Su origen no lo sé, pues no le tiene.*
> *Mas sé que todo origen de ella viene.*

Geraldino perguntou, procurando ocultar seu terror:
— Fazendo poesia?
— Ai, quem me dera escrever versos assim — disse João. — Minha maior ambição é aprender notação musical. Imagine se eu pudesse escrever aqui as notas de uma sonata de Mozart ou de um concerto de Vivaldi. Como não sei, escrevo os versos que conheço de cor e que estão no limite extremo da palavra, quase música. Bach não brincou mais docemente com os mistérios do que isto, ouve só:

> *Por lo cual era infinito*
> *el amor que las unia*
> *porque un solo amor tres tienen*
> *que su esencia se decia*
> *que el amor, quanto más uno,*
> *tanto más amor hacía.*

Geraldino olhou o soneto do centro da página e recuou em seguida a cabeça com desgosto. João sorriu:
— É o mais belo soneto da língua espanhola. O amor a Deus a despeito da inexistência de Deus:

> *Que aunque no hubiera cielo yo te amara*
> *y aunque no hubiera infierno te temiera.*

A Espanha declara sua paixão pelo Nada. Não me diga que os versos não são lindos, Geraldino. A Espanha desenrolando fervorosas galerias para que desfile o Nada: "*Aunque lo que espero no esperara, lo mismo te quiero te quisera.*"

Geraldino deu de ombros:

— Confesso a você que toda discussão da ideia de Deus me repugna. Não se esqueça que Deus era minha profissão. Estamos prontos?

João fez uma bola do papel cheio de versos e atirou-a no meio da rua:

— Eu fiquei tão feliz com a volta do Joelmir que senti falta de música. Em Puerto Suarez vamos entrar na Espanha, no plano alto dos quadros de El Greco, onde moram as figuras divinas. No plano baixo ele pintou os homens longos, puxados para cima feito um talo de flor que quer se abrir nos cumes, além do humano.

— O Gil só quer saber das raízes.

— Gil também volta, feito Joelmir.

Enquanto iam ao encontro de Aniceto, na garagem da rua D. Aquino onde alugariam o carro para ir a Puerto Suarez, Geraldino falou preocupado:

— Por minha vontade íamos de partida agora, João. Podemos despertar suspeitas, ser presos na fronteira, apodrecer depois num cárcere de Corumbá, enquanto o continente pega fogo na revolução.

João riu, como se o ar já quente da manhãzinha corumbaense fosse um vivo ar de serras nevadas, ou como se tivesse ficando meio de porre com os versos de séculos atrás reescritos por ele:

— Não é isso não, Geraldino, é que nossa organização é de outro tipo. Nós não sabemos pensar consecutivamente. Não conseguimos produzir um feixe de pensamento que analisa. Nossa barreira de vísceras e de sangue é densa demais. A gente pensa com o corpo inteiro, dentro do problema. Eu sei que isto nos torna cômicos para a outra família humana, a família dos ganham a guerra, mas é assim que somos.

Geraldino viu com gratidão, a distância, o vulto de Aniceto na porta da garagem. Sabia que com Aniceto João nunca falava assim e tinha medo de ouvir João falando assim porque revolvia dentro dele lembranças absurdas, como a da sua última visão na gruta dos arredores de S. José: o pavoroso ruflar de asas, a juriti descomunal estremecendo a terra com o soluço dos seus arrulhos de viúva e pendente de suas garras o esposo morto. A lembrança era mais nítida e importante do que qualquer das ideias que lhe dirigiam a ação, e Geraldino não queria estar de acordo com João. Aniceto ao volante do carro restabelecia a sensatez das coisas, abandonada por João, que voltara a falar direito:

— Gil foi várias vezes a Puerto Suarez e nunca encontrou nenhum controle especial. A gente passa pelo Exército, pela alfândega brasileira e depois vara o portão de acesso à Bolívia. Os brasileiros vão lá fazer seu contrabando e voltam.

8

Foram rolando entre árvores cinzentas da poeira que os carros levantam na faina ativa do contrabando e no trânsito sonolento das ideias e planos. Aniceto falou:

— O Gil disse que o uísque escocês é muito barato lá no Porto. Se fosse o caso de abrir um bar em Corumbá vinha a calhar.

Na perspectiva da estrada enquadrou-se o muro branco do 17º Batalhão de Caçadores, com soldados armados. Olharam a carteira de motorista de Aniceto, a carteira de identidade de João e Geraldino, e o carro passou. No portão com as armas da República da Bolívia um soldadinho mal olhou a carteira de Aniceto antes de desenganchar uma ponta da corrente estirada no vão entre os batentes. Uma aldeia de barro posta a secar ao sol, Puerto Suarez, sem árvores, tal como suas irmãs do Brasil, formigando também de crianças maltrapilhas. Sentiam-se os três em casa, feito o único desconto dos gritos em espanhol das crianças que na praça central, diante da igreja, atormentavam um bode velho puxando-lhe a barba. Aniceto parou o carro na frente da loja chamada Maruja, uma casinhola como as outras, mas forrada por dentro de gravadores japoneses, chapéus-chile, pacotes de cigarro americano, caixotes de uísque, tapetes e ponchos. João deixou os companheiros na Maruja e desceu a rua até ver, o coração batendo forte, a tabuleta do Café de los Bueyes. No balcão, dormindo sobre o braço, um rapazola índio. A ponta do seu cabelo crescido mergulhava num prato de mel cheio de moscas mortas e de moscas que se debatiam. João tocou o braço do menino, que abriu os olhos sem nenhum sobressalto e perguntou, antes de levantar a cabeça:

— O que é que o senhor quer tomar?
— Tem cerveja?
— Sim.
— Gelada?

O menino o fitou sério, sem se dignar a responder.

— Pois então arranje sem gelo mesmo. E eu queria falar com Ponce. Você é filho dele?

— Vou chamar Seu Ponce. É meu patrão.

O menino primeiro pôs diante de João uma caneca de folha e abriu a garrafa de cerveja, depois desapareceu casa adentro. Voltou em silêncio, sentou ao balcão, e, com o dedo médio da mão direita, enterrou definitivamente no mel algumas das moscas condenadas. João ficou de olhos postos na porta que o menino tinha usado para ir chamar Ponce mas quando deu por si Ponce estava ao seu lado, vindo pela porta da frente, um homem gordo e tisnado de sol, que o fez pensar em Eustáquio, um Eustáquio mais velho e mais tranquilo.

— Às suas ordens.

— É a respeito daquele gado do Pantanal, fazenda de Blanco.

Ponce disse ao menino que podia deixar o café com ele. O menino se limitou a apagar no mel uma mosca que acabava de cair e se retirou chupando o mel do dedo. Ponce pegou a caneca e a garrafa e levou-as a uma das duas únicas mesas que havia no café. Quando se sentaram perguntou:

— Você vem em nome de quem?

— De Mena, Adolfo Mena, estive com ele em São Paulo. Procuro saber como vai Blanco.

Ponce ficou alerta, os olhos vivos.

— Isto já tem muitos meses, não?

— Quase um ano.

— Há quase um ano eu aguardo notícias aqui dos brasileiros. Veio um, saído do Uruguai, falando nos arranjos de guerrilha feitos em Minas, no Estado do Rio, em Mato Grosso. Quando o Comandante passou por aqui, naquela ocasião, tinha muita esperança no Brasil. Tanto quanto na Argentina.

— O Comandante esteve *aqui*?

— Nesta mesa em que estamos sentados. Exatamente depois de passar por São Paulo.

João fitou Ponce.

— O Comandante esteve aqui proveniente de São Paulo?

Ponce sorriu pela primeira vez:

— Vejo que ele se disfarçou bem. Mas agora não faz mal que se saiba.

— Mena?

— Sim, Adolfo Mena, um senhor calvo, de óculos.

— Sim, sim, ele próprio.

— Tinha os documentos em ordem: enviado especial da Organização de Estados Americanos, para estudar as relações econômicas e sociais no campo boliviano. Passou por aqui, rumo a Cochabamba.

Diante de João o jogo preciso de Mena no bilhar de São Paulo, sua ironia, as mãos capazes e sensíveis.

— Naquele tempo — continuou Ponce — as esperanças dele eram grandes.

— Caparó foi descoberto, os outros núcleos de Minas, desbaratados, mas salva-se ainda alguma coisa em Mato Grosso.

— Dá para uma ação imediata?

— No Brasil, não — disse João —, mas podemos nos reunir ao Comandante na Bolívia.

Ponce meneou a cabeça, cheio de dúvida, como Maldonado, e João pensou com horror na hipótese de regressar ao Rio, de discutir a situação no Bar Don Juan, de voltar, provavelmente, a vigiar uma janela do Estácio.

— Nós somos um grupo pequeno — disse João —, mas temos as armas, temos tudo. Só queremos saber o caminho, o lugar mais próximo a que se pode chegar. Na pior das hipóteses seremos um novo grupo, a exigir combate das tropas que perseguem o Comandante.

— A esta hora, acho quase impossível — disse Ponce. — O caminho eu lhe ensino, os homens a falar eu lhe digo quem são, pelo menos até Santa Cruz de la Sierra, e lá lhe indicarão os outros. Mas duvido que se passe de Santa Cruz. Tome o trem da Brasil-Bolívia na primeira estação boliviana, a de Quijarro, no carro-restaurante tem um garçom amigo dos Peredos, de nome Aldo...

João gravava os nomes, as senhas e as indicações.

— Amigo brasileiro — disse Ponce ao terminar —, você me parece disposto a tentar, mas fique sabendo que vai tentar uma loucura que pode terminar num cárcere boliviano e que provavelmente termina é com a sua morte. Mas se quer vai.

— Quero — disse João. — Algum brasileiro há de chegar à Bolívia.

Ponce pegou outra caneca, encheu-a de cerveja e bateu na caneca de João.

— Adiante, vá! Já estou achando que os brasileiros vão mudar a sorte da guerrilha. E não se diga que um cubano como eu vai desaconselhar alguém a fazer alguma loucura, merda! Onde estão as armas?

— A bordo de uma lancha, em Corumbá.

— Esplêndido. Se houver qualquer dificuldade em passar de novo por aqui, atravesse o rio na lancha. Pelas lagoas e pelo mato a gente chega também a Quijarro.

— A lancha se chama *Faceira* — disse João.

João virou a cerveja sentindo no copo o cheiro de mato e de pólvora. Via-se perto do Comandante, agora que a figura do Mena fundira-se à sua. Via o encontro dos dois na selva boliviana com a certeza simples dos visionários.

No dia em que chegaram a Picacho, a mais de dois mil metros de altura, havia festa entre os camponeses, soldado não se via nenhum e Eustáquio de súbito sentiu saudade do rum de Cuba, da cachaça de São Paulo, da mulata que quem sabe se chamava Rosa ou Rosita. Daria tudo que tinha e que era muito pouco para se meter entre os camponeses que não queriam seguir a guerrilha porque provavelmente não podiam abrir mão de suas danças. Aquele fim de setembro devia ser de festa geral já que em Jaguey também faziam seus bailaricos, vestindo roupa de domingo. Havia uma patrulha guerrilheira em La Higuera e Eustáquio até se esquecia do exército boliviano cada dia tão mais perto, tão mais íntimo que ele quase ouvia de noite a respiração dos *rangers* e dos cães. Eustáquio só via naquele instante as mulheres, saias de cores vivas. Ia tirá-las para dançar, sem lembrar que não tomava banho há meses e... De repente o tiroteio ao longe, a busca de cobertura, a certeza de que a patrulha de Higuera tombara em alguma emboscada. Dentro de meia hora arrastava-se até ali o Chino ferido. Depois chegaram os outros feridos, Willi e Pablito. O Camba tinha abandonado a mochila e desertado. Miguel, Júlio e Coco Peredo estavam mortos. Agora o povo endomingado de Jaguey era capaz de atacá-los com ferocidade, não porque fosse contra os planos da guerrilha ou sequer os conhecesse, mas porque os guerrilheiros maltrapilhos eram uns desmancha-prazeres, uns fecha-festas que emudeciam as violas e as sanfonas e trancavam de medo as donzelas que a coca e a dança iam fazendo desabrochar. Naquele instante Eustáquio sentiu que fazia parte de um grupo de párias, malqueridos em toda parte. Evitou encontrar os olhos de Chapaco que não havia desertado como o Camba, mas que tinha agora a expressão de cão batido e a amarelidão de pavor do outro. Saíram todos de Jaguey onde seriam fatalmente descobertos pelos soldados, apontados aos soldados pelos bailarinos rancorosos. Enfiaram-se por uma garganta estreita como um túmulo.

— Pelo menos tem água — disse Chapaco.

— Amarga — disse Pablito.

Amarga, amarga como se em todo o seu curso a corrente só lambesse ervas tristes e más, nutridas na amargura secreta dos bailarinos de Picacho e de Jaguey. Pela manhã os homens encurralados viram passar soldados no alto, quarenta e seis, contaram, e de tarde mais tropa, setenta e sete, contaram. El Chino sussurrou no ouvido de Eustáquio:

— Agora só falta eles marcharem por cima da gente quando a gente estiver dormindo. Já começaram a me matar.

Na garganta seca dos homens esquálidos e de longas caras, a lembrança da água amarga de dois dias atrás era a de um arroio que refrescasse alqueires de pomar e em cujas águas de cristal e gelo tombassem limões e romãs. Sem remédios para o fígado e para a asma, sem sapatos para os pés que não mais olhava como não olhamos na rua os pés doentes dos mendigos, o Comandante mantinha a coesão dos homens implantando a rotina no centro da tragédia, como quem faz casa e lavoura no beiço do vulcão. Não havia dia sem objetivo tático e o objetivo seguinte era chegar à Quebrada do Yuro: o Comandante mandou à noite que Eustáquio e Pablito explorassem pelo leito a garganta em que se achavam, a ver se dava passagem. Quando saíram os dois, El Moro embrutecido de dor jazia contra uma árvore ouvindo Rádio Balmaceda do Chile a dizer que o Comandante e seu pequeno grupo estavam cercados numa garganta selvática por dois mil homens do exército boliviano, entre os rios do Aço e do Ouro. A sede ardente de Eustáquio e Pablito criava na floresta a imagem do rio de prata e do rio de ouro que em algum lugar estariam, mas que certamente não umedeciam o fundo sedento do grotão em que as pedras rolavam soltas na areia e os galhos dos arbustos afastados com a mão partiam-se com um estalo seco como se os patrulheiros andassem por uma floresta de porcelana. Visíveis agora na distância lá para onde a garganta se afilava e se aprofundava, havia soldados, mas ocupando os altos, temerosos de descer antes da aurora. Por ali a tropa guerrilheira poderia passar sem ser vista. Ou poderia em princípio, mas quem havia de ter certeza, com o Chino andando trôpego, apavorado, e o Moro escarranchado em sua montaria, que o Comandante puxava pela brida? Os fuzis em riste de Eustáquio e Pablito iam costurando como sovelas de sapateiro o couro bruto da selva. Andando, para a frente e para o fundo, entre fileiras de soldados a mais de cem metros de altura. Andando e andando, até que cessaram os soldados e se revelou limpo o caminho de El Yuro. O fiozinho da voz do rádio deitara raízes dentro de Eustáquio e era agora voz sua, insistente, dizendo que dezessete homens famintos e andrajosos, de goelas e cantis secos, jamais haviam escapado a um cerco de dois mil soldados e que chegar ou não chegar ao Yuro não era uma diferença entre morte e vida mas apenas um espaço temporário colocado entre morte e morte, morte hoje e morte amanhã. O percurso do fundo do túmulo à vida era o percurso do fundo da garganta à rendição entre os *rangers*.

— Você ouviu o rádio, Pablito?
— Ouvi.
— Eu continuo ouvindo o tempo todo. Dois mil.
— Você quer dizer que estamos fodidos?
Mas Pablito se curvara para o chão e levava a mão à boca.
— Que foi, Pablito?
Pablito encostou a mão suja de terra na boca de Eustáquio e a terra estava úmida. Caíram os dois no chão, saíram de

gatinhas farejando o ar e metendo o nariz na terra até encontrarem o fio d'água e andarem dentro dele, silenciosos por medo dos soldados, mas com uma violenta alegria, Pablito enchendo d'água o boné para molhar a cabeça, Eustáquio virando na boca como um pichel o cantil que voltava logo a encher. Aquilo sim, pensou Eustáquio, era um pé fora do túmulo, aquele porre de água fresca sabia ao rum da paz. Agora tinham força para andar, andar e para enrolar no cano dos fuzis uma nova bandeira, a bandeira branca de quem fez o que pôde e mais não pode fazer. Bastava a coragem de falar a Pablito e se Pablito não concordasse de lhe dizer adeus e prosseguir sozinho. Pablito sentou, rindo e chorando, numa pedra da margem, com as águas a lhe lamberem as pernas, enquanto Eustáquio, apoiado numa árvore da beira, cerrou um instante os olhos, entregue ao puro prazer de estar vivo e sem sede. Cerrou os olhos mas de pronto lhe invadiu as narinas um cheiro agridoce e sentiu nas costas o macio do tronco em que se encostava. Ao abrir os olhos alarmados avistou sobre sua cabeça as imensas garras verdes contra as estrelas, o comprido pendão com a cabeçorra saindo da penca de verdes bananas. Percebendo que o recebiam no batalhão dos Cuevas e Cambas se pôs de pé:

— Vamos, Pablito!

Pablito não respondeu, deixando as águas escorrerem pelas pernas, pelas mãos abandonadas na corrente fria.

— Pablito, vamos!

— Vamos. Aonde?

— Depressa, Pablito, ao acampamento. Temos de sair de lá com os companheiros antes de raiar o dia. Enche o cantil e vamos.

Eustáquio saiu marchando adiante, rápido, preciso e só uma vez voltou a cabeça, não para comprovar se Pablito vinha vindo mas para se certificar de que ficara na sua margem, de que não andava no seu encalço aquela árvore de desonra. Ouviu a voz angustiada de Pablito:

— Espera, Eustáquio, não me deixe sozinho.

Estáquio voltou para ajudar Pablito que prendera a bota do pé direito entre duas pedras e não conseguia arrancá-la. Juntos a desprenderam e enquanto Pablito se sentava para esvaziá-la d'água e calçá-la, Eustáquio tirou o facão da cintura e num selvagem serra-serra em que o facão silvava no caule envernizado foi moendo e moendo as fibras até que a bananeira se desequilibrou e ele empurrou copa e cacho para dentro d'água como se prendesse no fundo a cabeça de Cuevas e Camba. Pablito estupefato ia perguntar o que queria dizer aquilo, mas Eustáquio marchava de novo e agora nada o deteria até chegar ao acampamento e ver uma vez mais, como uma medalha que se perdeu um instante na noite, a cara serena do Comandante. Uma angústia pior que a sede da vinda enchia a cabeça de Eustáquio de imagens do acampamento que ia encontrar cheio de tropa inimiga e juncado de corpos. Na sua cabeça traíra o Comandante como um Camba ou um Antônio qualquer, depusera, na vontade, mochila e fuzil para se apresentar a qualquer *ranger* com um trapo de camisa vil na ponta de uma vara. Não se falaram nada, não disseram coisa nenhuma, concentrados em andar depressa, repassaram pelos soldados em cima, o grupo maior, chegaram aos grupos menores e o tempo todo Eustáquio sentia entre eles mais ruído, quase risos talvez, mais luz, mais fogo, uma alegria de quem prendeu não meros Antônios e Cambas e sim de quem aprisionou o troféu maior. Perto do acampamento o silêncio, o vazio, o nada. Onde estaria a sentinela, que era Chino, ou talvez agora Inti, mas devia estar ali ao pé da árvore? Avistou o Chino, sim, que os reconhecera e que no seu torpor e sede erguera a mão. Eustáquio continuou enquanto Pablito se detinha para encostar sorrindo na boca de Chino o bocal do cantil. Eustáquio via um cadáver retorcido no lugar onde deixara o Comandante escutando a Rádio Balmaceda. Mas era Moro embolado na rede estendida no chão. E o Comandante, onde estava o Comandante? Um filete mínimo de lanterna elétrica se acendeu na forquilha duma árvore e lá o Comandante escrevia em seu diário, cabo do cachimbo entre os dentes, fornilho de onde subia para os cabelos emaranhados um fio de fumaça.

— Então, Eustáquio?

Eustáquio ficou um instante parado, aguentando-se nas pernas para não fazer feio, mas sentindo os joelhos fracos, sob a pressão da paz imensa que lhe ocupava as ideias da cabeça e os membros do corpo.

— Se a gente sair agora, Comandante, antes do amanhecer está limpo o caminho do Yuro.

— Então é para já. É só botar o ponto aqui no fim da linha.

E o Comandante, escrevendo, leu alto:

— A notícia parece diversiorista.

Fechou o livro de notas:

— Agora vamos acordar os outros, Eustáquio.

Quando enfiava o caderno no bolso para descer da sua forquilha, o Comandante viu Eustáquio ainda imóvel e pôs seu fino feixe de luz na cara do companheiro. Cabelos úmidos da água do riacho, cara molhada, Eustáquio erguia no alto seu cantil:

— Água para você, Comandante Che.

Gil não voltara a arrumar nada em sua casa do sítio, não tirara nada dos caixotes e malas. Ainda tinha esperanças de que João não fosse cometer a loucura de se embrenhar na Bolívia para juntar-se a uma guerrilha que fazia água por todas as costuras. E de uma coisa tinha certeza. Por muito doido que fosse, João não ia permitir que Laurinha se metesse no mato ao seu lado: com muito mais razão Mariana não iria. Tinha comprado duas passagens de avião para Cuiabá, e avisado Ximeno da sua partida. Ximeno entregaria o sítio ao proprietário. Gil foi fechar sua conta. Explicou no balcão à funcionária de cabelos grisalhos que queria retirar todo o dinheiro.

Ela pegou sua folha de balanço para ver o saldo e foi falar com o caixa que protegia os olhos da lâmpada forte com sua pala verde. Gil recebeu o dinheiro, que conferiu, e, quando guardava os maços de notas no bolso, viu que a funcionária de cabelos grisalhos abria a boca, enquanto o caixa arregalava os olhos debaixo da sombra verde. Era uma mulher a única outra cliente que lá se achava, no balcão ao lado de Gil, e suas mãos começaram a tremer ao ponto de sua bolsa chocalhar e sacudir-se como um bicho que quisesse lhe fugir das mãos. Gil se voltou e viu os dois homens armados de pistolas, lenços amarrados na cara. Um deles, magro, imóvel, impassível, cobria todo o recinto com o revólver, enquanto o outro ia à porta do banheiro e retirava a chave da fechadura. O magro então se adiantou, levantou firme a tábua do balcão, indicando o caminho por onde deviam passar os funcionários e clientes:

— Todos ao banheiro, por aqui. Você, seu caixa, abra primeiro o cofre-forte.

A voz fez Gil estremecer. Pela porta aberta do banco Gil viu um fusca do lado de fora. Ao volante, Murta. Na rua as pessoas andavam tranquilas e no café defronte três fregueses tomavam sorvete. Mansinho vigiava a ordeira operação dos cinco funcionários tomando o rumo do banheiro atrás da cliente que agora comprimia a bolsa contra o peito. Gil se levantou para ir também para o banheiro, enquanto o caixa escancarava o cofre. Foi quando Mansinho tirou um segundo os olhos do caixa da pala verde para sussurrar a Gil:

— Desculpe o mau jeito, companheiro, mas é melhor você entrar para não ficar sus...

Não chegou a dizer suspeito porque o caixa retirou do cofre um revólver e disparou na direção de Mansinho esticando o braço de qualquer jeito, num movimento brusco, como quem nunca deu tiro na vida. A bala se alojou em cheio no pescoço de Mansinho. O caixa tombou semidesmaiado de susto na cadeira, enquanto a bala disparada por Mansinho ferido de morte chamuscava papéis e dinheiro e explodia com estridor no bojo de aço do cofre. O assaltante que deixara passar três pessoas para dentro do banheiro entrou em pânico, tentou fugir, atrapalhou-se na barreira dos que vinham para o banheiro e que se atracaram com ele, rolando pelo chão. O assaltante ainda se debatia, já sem o revólver e sem o lenço na cara, quando Gil resolveu se esgueirar dali. Teve de passar por cima do corpo de Mansinho e muitas vezes, no futuro, evocaria com certo vexame a incontrolável satisfação com que viu a poça enorme de sangue e os olhos já meio vidrados de Mansinho. Pessoas chegavam da rua quando ele saiu, a tempo de lobrigar, dobrando a esquina da rua Delamare, o fusca dirigido pelo Murta. Gil foi subindo a Frei Mariano rumo ao Grande Hotel, sem apressar demasiado o passo, ao contrário da maioria das pessoas, que se encaminhavam às carreiras para o fim da rua, para o banco assaltado. De repente Gil se olhou de alto a baixo, tomado do temor de que o sangue de Mansinho o houvesse respingado. Mas não. Estava limpo. Continuou andando ao encontro de Mariana.

Quando, de torna-viagem, se aproximaram do posto do 17º Batalhão de Caçadores, Aniceto notou um rebuliço, um certo ir e vir da tropa, mas o soldado da guarda deixou que o carro atravessasse a barreira sem nem olhar papéis, já que lhes reconheceu a cara.

— O pessoal está com um jeito meio alvoroçado — disse Aniceto.

— Qual nada — disse João —, você viu como nós passamos. Não podiam ser mais descuidados.

Na frente deles pela estrada, levantando um poeirão, corria um jipe com um oficial e soldados.

— E aquilo? — disse Aniceto.

— Eles provavelmente vão a Corumbá todos os dias — disse João. — Nós podemos voltar hoje mesmo aqui, para irmos a Quijarro tomar o trem. Basta que a sentinela na barreira seja outra. A gente passa sem problema.

Geraldino não opinou. Geraldino pouco opinava. Queria arriscar-se, e preferivelmente morrer, antes que morresse dentro dele o que sobrara de tantos anos de uma vida espiritual relembrada como quem relembra um vômito estatelado numa calçada. Sobrara uma grande compaixão pelos homens, não a compaixão de alguém que salvo contempla o sofrimento alheio e sim a de quem espera poupar aos outros a abjeção em que se encontra.

Só temia que não durasse muito essa compaixão e que antes de morrer se sentisse integrado ao vômito na calçada. Aniceto falou:

— Repara bem, João.

João e Geraldino notaram, da rua D. Aquino onde se encontravam, a uns duzentos metros da praça D. Bosco, o movimento anormal, os carros acelerados, a voz exaltada do locutor do serviço de alto-falantes. João notou o grande grupo de pessoas que discutiam na calçada do Grande Hotel e disse a Aniceto que desse uma volta maior, que não se aproximasse do hotel. Deixaram o carro longe do centro e, mal se puseram a andar, à porta do primeiro café, ouviram na assanhada conversa comum, entre mesas, o bastante para que João resolvesse tomar o rumo da *Faceira* sem perda de tempo. Quando andavam para a margem do rio, o noticiário berrado pelo serviço de alto-falantes dissipou todas as dúvidas:

— Atenção! Atenção! Chama-se Amâncio Pereira — cognominado Mansinho na sua quadrilha terrorista — o assaltante embuçado do Banco Mercantil e Industrial que foi morto a tiro pelo valoroso caixa Altamiro Varzim. Lamentamos informar que o outro assaltante, que confessa estar ligado a terroristas do Rio, é filho do conceituado comerciante desta praça, Marcolino de Andrade. E atenção novamente. Amâncio Pereira encerrou diante de um bravo corumbaense sua carreira criminosa, mas agora procura-se Juvenal Murta, que estacionava um carro diante do banco e que desapareceu da cidade, depois de abandonar o automóvel na via pública.

João, Aniceto e Geraldino foram buscando a margem do Paraguai pelas ruas mais distantes, em silêncio, João instintivamente fugindo do alto-falante, de medo que de repente revelasse buscas nos hotéis e pensões da cidade, que bradasse seu nome, que relatasse a prisão de Laurinha.

— Bem — disse João —, agora nossa fuga na *Faceira* não é mais uma opção. É o caminho que resta.

Logo que desceram a rampa para a beira do rio João viu a *Faceira* no seu atracadouro e foi como se a lancha há muito o servisse e fosse sua amiga. A única tristeza que o assaltou foi a de partir assim, sem dizer adeus a Laurinha, deixando-a talvez perseguida, talvez presa, traindo Laurinha com a *Faceira*, confirmando quem sabe sua impressão de que uma escolha fora feita entre ela e a revolução, de que ele preferia tentar salvar o mundo a salvar-se vivendo com ela quando as duas coisas eram sementes gêmeas, germinando na mesma terra escura e fresca. Como de costume haviam se separado no topo da rampa. Aniceto e Geraldino aguardando que João falasse primeiro a Joelmir para depois descerem separadamente à lancha. De longe João avistara Joelmir, a silhueta amiga de Joelmir, perfil e chapéu completados pelo tubo de prata mergulhado na guampa de mate.

— Tudo em paz, Joelmir?

— Tudo direitinho, João. A Polícia andou por aqui, revistando armazéns e barcos.

— E... não encontrou nada?

Joelmir deu uma chupada no mate e passou-o a João, para que tomasse um trago:

— Uai, Polícia só encontra o que tem num barco, não é mesmo? Encontrou couros e peles na *Faceira*. Tudo aqui vira couro e pele, entra entre couro e pele, se houver precisão disso.

Joelmir se deteve um instante, recebendo de volta a guampa de tereré das mãos de João e prosseguiu:

— Quer dizer, tudo, tudo, nem sempre é o caso não.

João se alarmou:

— Acharam alguma coisa?

— Não — disse Joelmir —, tem mais aí na *Faceira* agora do que você imagina, muito mais mesmo. Não sei o que você vai pensar, mas logo depois da visita da Polícia...

Joelmir andou na frente pela rampa que levava ao lanchão. No convés abriu o alçapão, dando passagem a João, mas antes de descer a escada que levava ao interior do barco, João já vira perto de uma escotilha de bombordo, aproveitando a luz que ainda vinha do lado do rio, Laurinha que escrevia sobre uma pilha de peles. Desceu os quatro degraus da escada estreita com habilidade mas sem saber como, de tal forma tinha vazia a cabeça e de tal maneira se concentrava no ato de ver, aproximando-se dele que descia, a massa castanho-clara dos cabelos de Laurinha. Apoiando a esferográfica contra a face direita, num gesto muito seu, Laurinha falou:

— Vai bem adiantado o índice de Primeiros Versos, João. Pena que o R não esteja dando aquelas sequências que parecem de poesias inteiras. Como na letra D, se lembra?

E Laurinha olhou folhas atrás, declamando ao encontrar D:

> *Dame, Amor, besos sin cuento*
> *Deja las puertas abiertas*
> *Deja el vino en la mesa. Mira como*
> *Del rosal vengo, mi madre*
> *Del rumor cadencioso de la onda*
> *Desde el umbral de un sueño me llamaron*
> *Después que el rey don Rodrigo a España perdido habia*
> *Diós está azul.*

João segurou o rosto de Laurinha:

— *Dame, Amor, besos sin cuento.*

Abriu os braços para sentir contra si o rosto, a orelha, o peito de Laurinha, embalando-se um ao outro, enquanto Joelmir no topo da escada pensava que devia ter cometido a loucura de também deixar vir Valdelize, por que não? Chegou Aniceto, depois chegou Geraldino. Não havia vinho no barco, mas havia mate quente.

— Logo que escurecer, a gente pode atravessar o rio — disse Joelmir. — Não tenho visto patrulhamento nenhum, mas é sempre melhor aguardar a noite. Passamos de luzes amortecidas, como se a *Faceira* estivesse distraída, zanzando pelo rio.

Uma vez posto o sol, baixou o calor que fazia dentro do barco. De pouca altura, a *Faceira* se grudava ao rio feito uma tartaruga. No interior só se ficava de pé com dificuldade. Por isso Joelmir tinha arranjado ali uma mesa que mais parecia uma comprida tábua de engomar mas à qual podiam sentar-se todos. E João não sentia calor, não sentia nada na *Faceira* a não ser um bem-estar absoluto: a *Faceira* primeiro trouxera Joelmir e agora trouxera Laurinha, que tinha querido explicar, contar alguma coisa, mas João só queria o fato, a presença dela:

— Você fez o que devia fazer, o exato, o correto.

Joelmir estendeu uma toalha engomada sobre a mesa estreita, onde depois colocou os pratos, talheres e copos de estanho reluzente de asseio, e a refeição: ovos, frutas, carne de sol.

Laurinha e João quiseram ajudar Joelmir, que pediu que o deixassem preparar tudo sozinho. E disse, enquanto servia o mate nos copos:

— Valdelize apanhou os ovos no galinheiro, apanhou as frutas nas árvores, secou a carne, moeu o mate, engomou e passou a ferro a toalha. Só faltou mesmo botar a mesa, que eu botei para vocês como se ela tivesse posto.

Laurinha sentou à cabeceira, com dois homens a cada lado, e comeram em paz, pensando na outra margem do rio, que atingiriam quando escurecesse.

— Se Valdelize estivesse aqui, mais a Laurinha, era ainda melhor — disse Joelmir. — Todo o mundo acha que os homens acompanhados de suas mulheres viajam em boas tenções.

Aniceto pensou na Da Glória. E falou:

— Qual é o caminho mais rápido para a gente saindo daqui ir até Alagoas, compadre Joelmir?

— Eu ia por São Paulo, a menos que você queira subir um Madeira, um Tapajós desses, sair no Amazonas e pegar navio. Ou vai para Cuiabá, pelo rio, toca de caminhão para Brasília e Maceió.

— Mas eu me referia ao fato do fim da guerra — disse Aniceto. — Da Bolívia para Maceió.

— Danou-se — disse Joelmir. — Eu ainda ficava com o caminho por São Paulo, para começo de viagem. Ainda que tu tenha ido parar nos cafundós da Bolívia, lá no sul de tudo. Na tal de Jacuíba, que fica encostada na Argentina, tem trilho de ferro para Santa Cruz, de onde sai o trilho brasileiro até Corumbá. Mas de Jacuíba o nosso Comandante toca, o mais provável, é para Buenos Aires. Vai visitar a família, uai.

— E você segue ele a Buenos Aires? — disse Aniceto.

— Que sigo não padece dúvida, mas de caminho meio enrolado. Meu caminho passa por Miranda.

— Passa por Valdelize — disse João.

— Pois eu — disse Aniceto — vou a São Paulo, Belo Horizonte, pego um vapor do rio São Francisco e saio no Pão de Açúcar.

— Ó gente — disse Joelmir —, como é que entra Buenos Aires nisto aí?

— De Pão de Açúcar o vapor vai até o mar, uai, depois é só fazer a curva do Brasil e entrar no rio da Prata lá no fim do mundo.

— BR-Valdelize, para Joelmir, e Companhia de Navegação Maria da Glória, para Aniceto — disse João. — São as viagens mais longas e complicadas do mundo.

Começava a engrossar lá fora a escuridão quando Joelmir tirou do fundo do barco, levantando tábuas do piso, feixes de peles onde se escondiam os fuzis e a munição. Sabiam onde encontrar do lado boliviano os animais que os transportariam e que levariam os fardos a Quijarro. Mais uns dez minutos e o barco se poria em movimento. Era só esperar que a escuridão se adensasse e que passasse algum comboio de embarcações. O primeiro sinal inquietante foi um aviso da Marinha que Aniceto viu pela escotilha e que de repente chicoteou o rio com o relâmpago de um holofote. Depois outra virada do holofote. Joelmir desprendeu um dos fuzis do seu invólucro de peles e passou-o a João. Entregou outro a Aniceto, outro a Geraldino e empunhou o seu. Laurinha estendeu a mão para receber também um fuzil. Passou perto um barco da Polícia, com seu holofote, mas não buscava a *Faceira*. Das escotilhas os homens da *Faceira* ouviram gritos a distância entre os dois barcos e viram o instante em que a luz dos dois refletores se concentrou num ponto em que rajadas de metralhadoras se sucederam rasgando as águas. Alvo não se via nenhum, nada flutuante na zona iluminada pelos holofotes e fustigada pela metralha. Os dois patrulheiros foram lado a lado para o mesmo ponto e o que então se ouvia eram tiros de revólver ou de fuzil. Depois afastaram-se os barcos, o da Marinha subindo o rio para Ladário e o da Polícia atracando a uns cem metros da *Faceira* e mantendo aceso o refletor. Joelmir deixou passar algum tempo e foi à terra, agora que a beira-rio estava cheia de gente. Quando voltou trouxe a notícia de que dos dois assaltantes vindos do Rio o primeiro tinha morrido dentro do banco e o segundo tinha sido então metralhado no rio.

— Murta — disse Laurinha.

— Murta — disse Aniceto.

— Ainda não acharam o corpo — disse Joelmir —, mas o homem, esse Murta, tinha ficado escondido numa garagem da margem do rio. Quando então saiu, metendo-se na água...

À exceção de Joelmir, que não conhecia Murta, todos os outros reviram a cara doida, os cabelos compridos, o peito magro com o medalhão de Iemanjá pendente da cadeia. Laurinha ouviu o gelo de Tintagel partindo o espelho da piscina e sentiu uma onda de ternura pelo Murta, uma ternura antiga, como se houvessem brincado juntos na infância. Seu irmão Murta, pertencente a uma era que se encerrava com ele próprio, ali no rio Paraguai. Só o medo de parecer mulher frágil fez Laurinha engolir as lágrimas que sentia mal-represadas. Tomou goles e goles de mate para empurrar, para onde quer que fiquem guardadas, as lágrimas que a gente fabrica mas não usa.

No escuro da noite Joelmir avistou no rio calmo o vulto negro de uma grande chata de minério de Urucum. De motor ligado ele aproveitou a maciça presença da chata e desatracou a *Faceira*, ganhou o meio-rio. No interior do barco estavam todos quietos, tensos, enquanto a *Faceira* cruzava o rio em lenta e discreta diagonal. Foi quando Laurinha estremeceu, atenta. Seria? Que mais podia ser? As lágrimas de há pouco se evolaram num calor de revolta. O que sentia agora era a necessidade de confirmar a morte do Murta, de ter certeza de que não era ele quem esmurrava o lado de estibordo do barco como quem bate em desespero a uma porta proibida. A uma nova batida enérgica, ela olhou os outros, também atentos.

— Murta sabia que nosso barco era a *Faceira*, não? — disse Laurinha.

João, fuzil nas mãos, assentiu com a cabeça.

— Vocês acham... — ia dizendo Geraldino.

— Bem capaz de ser ele — disse Aniceto.

— Psiu! — disse João, que se levantou.

— Espera — disse Laurinha.

— Vou subir um instante — disse João.

— Não — disse Laurinha. — Espera que o barco chegue do outro lado.

O holofote iluminou em cheio a *Faceira*, por cima, pelas escotilhas. Às batidas agora juntou-se um berro do Murta seguido pela metralha, balas assobiando dentro d'água e mordendo a madeira do barco.

Ouvia-se perto a lancha da Polícia quando João se precipitou para o tombadilho, buscando o Murta. Foi João quem caiu primeiro, varado de balas. O segundo foi Geraldino. Sombras escuras escorregaram para dentro do rio protegidas pela súbita parada da metralhadora diante do aparecimento de Laurinha no tombadilho feito uma doida, no centro do feixe de luz dos holofotes.

9

Até El Médico tinha rido quando Eustáquio, ao passar a tropa maltrapilha ao largo de um sítio, ajoelhara-se trêmulo diante de um abacateiro, dizendo:

— Sua bênção, me dê a bênção.

Eustáquio pensou que se aqueles condenados ainda riam, deviam estar achando seu gesto muito assombroso. Mas então não percebiam como a floresta inteira prestava atenção a eles? De floresta propriamente não sabia nada, para dizer a verdade, mas pelas árvores suas conhecidas, que avistava aqui e ali, imaginava como as outras se sentiam. O matagal boliviano tinha ficado tenso. Sol forte demais doía nas árvores e qualquer rajada de vento arrepiava de frio cada folha. E havia as árvores que quase gritavam de aflição no seu caminho, como o franzino abacateiro, que lhe estendia os braços. Fechou os olhos para não ver Pablito que subiu no abacateiro e foi arrancando um a um seus seios verdes.

Continuaram a marchar para a Quebrada do Yuro. O Comandante tinha os pés em sangue como todo o mundo, feridas, antraz, berne. A ele só pertencente, rodando no peito, tinha o moinho das asmas. O principal inimigo de todos era o corpo de cada um. Depois vinham os *rangers* bolivianos.

A morte de Coco Peredo, Miguel e Júlio encontrou o Comandante espremendo o pus e desinfetando a ferida de Benigno, dando injeção em El Médico. O rádio noticiava as mortes perto de Vallegrande e um Benigno desfeito e assustado deu de ombros, olhando o Comandante que lhe limpava a ferida. Para que cuidar de cadáveres, hem, Comandante? Para que dar injeção nos mortos? O Comandante tinha falado, como em resposta ao rádio, que eles estavam completando apenas onze meses de guerrilha e que era muito pouco tempo para prever quem ia levar a melhor.

— Tive vontade de enfiar o cano do fuzil na boca e disparar para não ouvir mais loucuras — disse Benigno depois a Eustáquio.

— Mas onze meses é mesmo pouco — disse Eustáquio.
— Na Sierra estivemos três anos. Com o Comandante a gente vence. É matemático.

— A guerrilha aqui entrou pela goela da Bolívia feito um caroço de fruta e feito um caroço vai sair pelo cu da Bolívia.
O Comandante disse a Pablito:

— Sua dor de dentes é o siso. Temos de arrancar o dente.
— Amanhã, Comandante, amanhã.
— Não, é hoje mesmo.

Arrancado o dente, prosseguiu a marcha, com o pouso em mais uma quebrada. A do Yuro. Eustáquio nunca esqueceu o sono que dividiu a vida em dois. Sono de guerrilha. Suas pernas dormiram, seus braços. Mas os olhos continuaram sentindo as pálpebras. O sono não separou um dia do outro. Foi vadeado no meio de espantos como um rio atravessado nas trevas. Os guerrilheiros acordaram de pé, fuzil na mão.

Uma vara de porcos do mato de cerdas eriçadas entre caçadores e cães. Eustáquio viu retalhos de sono furados a bala no ar. Disparou na direção dos tiros, mas os tiros saíam das árvores feito pássaros. Correu para lutar perto do Comandante, mas o Comandante caiu sobre o joelho direito. Aproximou-se mais e o Comandante levou outro tiro no braço e no fuzil, que eram uma coisa só. A arma da revolução quebrada e jogada fora pela América Latina arriscada de perder seu emprego de criada e puta. Criada e puta, pensava Eustáquio furioso de ver morrer o Comandante no mato do Yuro quando devia ser fuzilado domingo ao meio-dia na frente do maior edifício de New York.

— É ele, Ortiz?

— Capitão Prado, se não é o Che é que o Che tem irmão gêmeo.

Quando o Comandante foi atado a uma árvore, Eustáquio procurou com os olhos os companheiros que agora haviam de compreender mas estavam todos mortos. Não podiam ver que a árvore tinha cipós até meio tronco feito um choro grosso parado no ar.

Dias antes, em meio à grande fome da tropa inteira, encostado assim mesmo em outra árvore, o Comandante tinha dito, com aquele jeito meio sério e meio burlão, que — caralho! — não se salva um continente faminto de barriga cheia. Com o olhar escurecido de fome Eustáquio vira o Comandante dissolver-se no corpo da árvore. Tinha arregalado os olhos com força. A guerrilha não podia ser comandada por um angico.

Agora, olhos fitos no Comandante, aguardou o milagre da árvore, o sumiço do Comandante, o exército boliviano, o exército latino-americano, o exército norte-americano rachando de alto a baixo milhões de troncos em busca do Comandante multiplicado por todas as árvores da América. O capitão boliviano perguntava:

— Por que vieram cá?

O Comandante e a árvore eram um silêncio só. O capitão ficou assim meio sem graça, pela tolice de submeter uma árvore a um interrogatório. E o Comandante falou, como se a árvore desse um fruto doido:

— Quem diria, não é?

Aí Eustáquio começou a entender por que o Comandante recusava o ventre que a árvore lhe abria para chupá-lo pelos cipós e as raízes. O Comandante tinha assumido o comando do exército inimigo. Não o fuzilavam mais. A ordem era caminhar para La Higuera, o Comandante ferido andando entre Eustáquio e um soldado boliviano. Em pouco o soldado boliviano passava o fardo, tapando o nariz como quem não aguentava mais o fedor do Comandante e de Eustáquio, e os dois sorriam entre si enquanto o Comandante dizia:

— Dia do mulo.

Dia recente. Não conseguiam fazer um mulo da tropa de animais atravessar o rio. Para o mulo como para os guerrilheiros tinha sido o dia do primeiro banho em seis meses. Antônio e Willi não aguentavam mais o cheiro um do outro depois da indigestão de porco e angu de milho que a tropa famélica comeu no Campo do Urso, onde em maio, bala na testa, fora enterrado El Rubio, Jesus Soarez Gayol, que seu xará tenha em sua mão direita. Porco e milho povoaram de ruídos e cheiros os ares bolivianos. Antônio e Willi fizeram apostas. Cagaram-se os dois, no afã do torneio mas tão extraordinários foram os estrondos que Eustáquio nunca duvidou que nuvens feitas do peido de guerrilheiros mortos vogavam agora, para todo o sempre nos céus gelados de La Paz. O Comandante parecia comandar o rio que apareceu de repente. Com um gesto largo ofereceu suas águas a Antônio, Willi, à tropa, depois entrou ele mesmo com o mulo recalcitrante em cujo lombo jazia o Médico de bruços, e advertiu:

"Lavem-se, rapazes, mas não muito. Precisamos ser miseráveis e sujos como o povo da terra que vamos libertar."

Caminhando foram, descalço o Comandante, que agora não olhava mais onde pisava. Não precisava mais poupar os pés feridos, nem mimá-los e enternecê-los, para que continuassem a servir.

O Comandante recusou a comida oferecida pelos soldados bolivianos e Eustáquio fez o mesmo. Não ia ficar de estômago cheio enquanto o de seu Comandante continuava oco. E Eustáquio misturava árvores e regatos de outra guerra com os regatos que coleavam para perto e as árvores que se acotovelavam entre si para vê-los passar agora.

— O dia do mulo foi no Arroio do Inferno? — disse Eustáquio.

— Nossos países são um só, Eustáquio, mas vamos respeitar a geografia. Quando chegamos ao Arroio do Inferno já tínhamos deixado para trás Alegria de Pio, o nome mais desastrado que há no mapa de Cuba.

— Alegria de Pio... Os aviões de bombardeio e a gente no canavial. Como é que a gente ganhou a guerra com espadas de cana verde?

— Duas mochilas na minha frente — disse o Comandante. — Ou bem eu fugia das bombas carregando a mochila dos remédios, ou bem salvava a das balas. Os remédios ficaram no canavial.

— E com balas assumiu o comando, caralho! Com balas, com Fidel, com Cienfuegos.

Ah, por que, no meio do carrascal boliviano, imprensada entre duas árvores rudes, a goiabeirinha-menina, imóvel como uma bailarina entre dois compassos de música?

— Aqui você assumiu o comando também, não foi, Comandante? Eu vi, eu senti quando os soldados começaram a lhe obedecer.

O Comandante respondeu num murmúrio:

— Assumi o comando mais importante, Eustáquio. Alguma coisa eu tinha de aprender a planejar, na Sierra e no governo.

— O quê?

— A morte. Todo revolucionário tem o dever de transformar sua morte em vida. O homem é o único bicho que melhora as condições de vida da espécie por meio da morte. Vou usar toda a minha astúcia para morrer direito. Para quem sempre teve de pensar em muitas coisas ao mesmo tempo é um prêmio pensar nesta coisa só.

— Não me humilhe assim, Comandante, que eu estou pensando que tenho medo, pensando numa menina, Ricarda, numa mulher, Lindalva, e pensando muito numa garrafa de rum.

— Então é porque ainda há no teu futuro uma menina, uma mulher, uma garrafa de rum.

— E você, Comandante?...

O Comandante sorriu, apertando o ombro de Eustáquio.

— Quando os tiros estalaram os ossos do meu braço, vi minha mulher no quarto, cercada de camas de crianças, mas nem por isso deixo de morrer alegre. Bicho é que morre triste, bicho e gente no hospital. Só tem uma coisa que me preocupa, Eustáquio, uma coisa que eu não acabei de fazer. Desde que estamos na Bolívia a lembrança roça em mim e me escapa.

Numa clareira da mata um casal de camponeses com o filho aleijado, os três olhando em frente, à medida que passavam os soldados e os prisioneiros. O pai com o machado na mão e a coca na boca, a mãe com espigas de milho no avental, o menino aleijado coçando uma ferida na perna sã. Nada perguntaram e nem moveram os olhos para acompanhar os que passavam.

— Comandante — disse Eustáquio —, na Bolívia ficamos transparentes. Em Cuba os camponeses viam a gente, enxergavam a gente passar, vinham lutar ao nosso lado e se chamavam Pablito León, Gonzalo González, Calixto. E as guerrilheiras, Oníria, Lídia Doce, Clodomira.

— A mochila dos remédios era pesada.

— Já estávamos cercados de camponeses quando você arrancou o primeiro dente da guerrilha.

— Foi talvez na Bolívia, quando estive aqui antes. Só sei que não servi a vida como devia.

— Comandante, o que é que a gente diz se encontrar no outro mundo os homens que a gente matou?

O Comandante riu:

— Eu digo "Che!" e passo.

— E os que você fez fuzilar?

— Eu digo "Che!" e vou em frente. Quem quiser que ganhe sua boa morte, merda. O que me preocupa é assunto de vida. Foi quando estive com Granados no rio Amazonas, pisando ao mesmo tempo Peru, Brasil e Colômbia? Ah, cada um de nós virando dez, pensei, cem, mil, até dar jeito neste puto deste continente desgraçado!

Na hora Eustáquio não reparou, apenas sentiu o calor nas costas, a comunicação direta com o Comandante. Só mais tarde, quando morria o Comandante, é que viu, tirando a camisa, a grande mancha deixada pelo sangue escorrido do braço do Comandante e que aos poucos pusera um poncho de púrpura em seus ombros.

Perto de La Higuera entraram numa balsa do exército para atravessar uma corrente, um estranho lugar de pedras escuras e de chorões que mergulhavam as folhas no rio e que as ergueram à chegada do Comandante como se suspendessem, de assombro, as mãos que antes lavavam distraidamente e que ficaram pingando no ar. Eustáquio, sem mais se incomodar com os soldados, falava numa exaltação.

— Só fico pensando, Comandante, no que é que eu gostava de viver de novo da minha vida. Acho que a queda do forte de Uvero. Até o cuspe na minha boca tinha gosto de sangue de soldado de Batista.

O Comandante olhava com desesperada atenção a balsa em que se encontravam quando Eustáquio perguntou:

— Ou a batalha de Santa Clara?

Bazucas, motores, jipes e flâmulas, o sorriso quente das mulheres:

— A marcha final, Havana.

Súbito, Eustáquio viu uma nuvem refletida nas águas que a balsa singrava e lembrou o dia em que o exército rebelde tinha escalado o pico mais alto da Sierra, o Comandante insultando as rochas, insultando sua asma, buscando o pico dos picos como quem vai insultar Deus Padre Todo-Poderoso.

— Comandante, Comandante, no alto do Turquino as barbas e as boinas boiavam nas nuvens. Um exército de boinas estreladas.

O Comandante libertou o braço que passava pelo ombro do soldado e alisou com a mão a madeira da balsa.

— San Pablo — disse o Comandante.

— Brasil?

— Não, o outro.

— San Pablo Del Yao, caminho de Pino Verde, a marcha sobre Santiago?

— Antes — disse o comandante —, muito antes, San Pablo no Peru, muito antes da guerrilha, antes de te conhecer, de conhecer Fidel. Machu Picchu e o leprosário de San Pablo. Morei com os leprosos, vivi, comi com eles. Com suas mãos fizeram o presente que me deram de despedida. Uma balsa. Coberta de flores e de discursos de adeus. Eu nunca mais voltei à companhia deles. Você, Eustáquio, que ainda tem pela frente mulheres e garrafas de rum, diga a quem perguntar que eu espero que os homens futuros compreendam estes nossos tempos em que os médicos desceram dos lazaretos para matar homens sãos.

Atravessavam um laranjal quando o Comandante falou assim e Eustáquio viu os frutos empalidecerem na folhagem escura.

Descorados de dó pelo Comandante que entrou em La Higuera arrogante e desempenado sobre os pés de sangue? Ou por ele Eustáquio que viu com pavor as tábuas da escola, as tábuas da casa da escola, novas ainda, a madeira fresca grudada de terra e suja de pó?

Foi Eustáquio quem entrou trêmulo na escolinha de La Higuera, onde algemaram o Comandante e o sentaram contra a parede.

Eustáquio foi largado a um canto do chão como um fardo, apesar da púrpura que lhe cobria os ombros.

Generais, coronéis, majores, todos entendiam agora que o Comandante encurralara na escolinha de Higuera o exército da América Latina para que oficiais e soldados fossem depois obrigados a transmitir suas ordens.

Sobretudo aos homens brasileiros e argentinos que quando cai a tarde ouvem revolução pelo rádio como atentas mulheres sentadas em seus bordéis.

Os oficiais imploravam ao Comandante que não confiasse missão tão arriscada a pobres militares latino-americanos, mas o Comandante não os ouvia mais, não se dirigia mais a eles e sim àqueles a quem lhes cabia transmitir a lição.

Disse o Comandante que como em sua vida não acumulara nenhuma riqueza e como os países leprosos eram muitos deixava de herança pedaços de si mesmo a serem semeados por todas as terras em que vivera.

Que mandassem à Argentina sua mão direita e ao Brasil sua mão esquerda pois ambas continuariam fazendo a única coisa que tinha aprendido a fazer a fundo, a saber, a revolução.

Há um tempo de plantar com as mãos, e há um tempo de plantar as próprias mãos.

De suas mãos não necessitavam os cubanos que já fizeram a revolução, em lugar de usar seu santo nome em vão, mas mandava aos cubanos seu coração para que não perdessem a ternura.

E o Comandante ficou em silêncio, esperando que o fuzilamento libertasse de seu corpo a lição, feito uma alma.

Os oficiais apontaram as armas para o Sargento Terán, que para não morrer desfechou o tiro no coração do Comandante.

Quando o viram morto os oficiais arrastaram o corpo do Comandante e colocaram seus pulsos sobre uma mesa.

Depois ergueram juntos uma machadinha de açougue e deceparam primeiro a mão esquerda e depois a mão direita do Comandante.

PARTE III

"But we mustn't, must we? Moses will scold
If we're not all there for the next meeting
At some brackish well or broken arch,
Tired as we are."

W. H. Auden, *The Age of Anxiety*

("Mas não devemos, não é mesmo? Moisés nos
 [repreenderá
Se não comparecermos todos ao próximo encontro
Ao pé de uma fonte salobra ou um arco partido,
Por mais que estejamos cansados.")

10

Murta mergulhou com resignação ao escutar de dentro do rio a metralha que varria a *Faceira*. Mergulhado ficou enquanto pôde, deixando-se levar pelo rio, emergiu adiante o menos que pôde, e quando de novo tentou respirar bateu com as mãos em alguma coisa que flutuava sobre sua cabeça. Tateou o monstro. Madeira, casco de barco provavelmente. Com as mãos foi se movendo, mas não era possível madeira tanta, fundo tão grande de barco. Foi e foi naquela ânsia, sentindo o corpo que se grudava contra a madeira, que se colava à madeira interminável e de súbito a verdade terrível se revelou: tinham tapado o rio Paraguai, colocado em cima do rio um estrado gigantesco, um chão de pau. Ali estava ele, Murta, entre as águas e o chão como um mutante, um anfíbio já mais de terra que de água porém forçado a ficar infuso num rio assoalhado. Procurou conscientemente voltar à vida branquial dando importância mínima ao pouco ar que lhe restava nos pulmões, tentando viver sem tal bagatela, mas não sabia como é que o peixe se arruma para extrair oxigênio da água. Como é? Ou não extrai?

Murta não conseguiu mentalizar com suficiente clareza e energia um processo talvez recuperável de involução das espécies e rolou quase desacordado de baixo do chão de pau, boiando feito uma rolha ao lado da massa flutuante da chata que transportava minério de ferro das minas de Urucum. Enfiou-se na massa negra, pepita de Murta negro de remorso e involuído até o reino mineral.

Quando acordou, noite ainda, saiu do seu minério para as águas e para a margem boliviana. Negro, exausto, pingando água, lembrou-se de João e disse a si mesmo, esmurrando a própria cabeça:

— Eu! *Isto!* O único brasileiro que chegou à Bolívia.

Foi ter, dias depois, à cabana do seringueiro Martinez e sua mulher Carmencita. Dizer que o Murta foi saudado por Martinez e Carmencita não é dizer a verdade porque Martinez preparava as bolas de seringa para enviar ao posto mais próximo da companhia, e mal interrompeu um instante o trabalho, ao avistar Murta que se aproximava. Em seguida olhou para a mulher, que falou, perguntando aonde é que ele ia e se queria café com inhame.

— O inhame é fresco, mas o café está fraco — disse Carmencita — porque há muito tempo não recebemos suprimentos. Ninguém tem aparecido, nem para apanhar a borracha. Você não encontrou ninguém descendo o rio?

E Martinez, por que não dizia nada? Murta disse a Carmencita que não, que não tinha visto ninguém descendo o rio. Carmencita por sua vez não fez mais perguntas diretas. Falava muito mas falava sem compromissos:

— A gente nunca sabe ao certo quem vem e o Martinez eu nunca sei se ele sabe. Às vezes vem gente muito alegre, que traz cachaça.

Martinez se afastou, carregando num cesto bolas de borracha para guardar num depósito que era uma cabana. Carmencita falava com Murta:

— Mulher em geral não dá bem aqui não. O Martinez experimentou duas antes de mim mas morreram logo. Eu agora já tive as febres e picada de escorpião, mas o Martinez guardou o escorpião e ele morreu. Se você vai ficar por aqui é melhor ver logo se aguenta a febre e o escorpião.

— Estou de passagem — disse Murta — e...

Mas Carmencita prosseguia:

— Martinez não falou nem no dia do escorpião. Guardou ele numa gaiola e botou bichinhos para ele comer, mas era uma escorpiona e pariu filhos que ficaram montados nas costas dela e ela morreu da picada que me deu e morreu a família toda. Martinez uma vez me entregou aos índios porque meteu na cabeça que eu não tinha ido apenas mostrar caça a um caçador aí, mas foi me buscar porque uma arraia feriu ele com o ferrão e só sara quando se encosta boceta de mulher em cima.

Murta foi no encalço de Martinez até a choupana em que ele guardava borracha para lhe perguntar se não se assustava com a vizinhança dos índios bravos e Martinez fez que não com a cabeça.

— Eles não comem gente? — disse o Murta.

Martinez fez sinal afirmativo.

— E não pode acontecer que eles te ataquem um dia?

Martinez fez que não, continuando a empilhar sua borracha.

— Você já viu eles comerem alguém?

Martinez apontou para Carmencita.

— Comeram sua mulher? — disse o Murta.

Martinez interrompeu o trabalho e foi à porta da choupana, com uma das bolas na mão, e jogou a bola em cima de Carmencita, que, sem se virar, disse:

— Que foi, Martinez?

Martinez pegou outra bola e mandou um bolaço na cabeça de Carmencita, que agora se virou direito para Murta:

— Vem me perguntar as coisas que o Martinez não fala não.

Murta se aproximou de Carmencita, deixando Martinez, que voltou às suas bolas.

— Eu não sabia que ele era mudo — disse o Murta.

— Não é mudo não — disse Carmencita —, mas não fala tem um tempão.

— Não fala?

— Nadinha deste mundo. Largou de falar. Tem bem... Ah, sei lá. Tem anos. No princípio eu até chorava. Arrancava os cabelos. Mas depois eu vi. Você sabe que não faz tanta falta não. Basta que tem uma pessoa viva à mão e a gente pode conversar mesmo que o outro não diga nada. Foi até bom, porque antes o Martinez me batia quando ficava com raiva de alguma coisa que eu dizia. Parou de falar, parou de bater. Agora eu só levo umas boladas de vez em quando. Antigamente ele podia estar longe de mim uma coisa à toa. Berrava um *Carmencita*! que chegava a cair castanha de castanheira. Agora me joga uma bola em cima e está pronto.

Murta comprovou que podia conversar com Martinez e chegar a conclusões importantes. Ele teria tido certas dúvidas de se abrir com um homem tão tosco se tivesse de contar com perguntas dele e possíveis incompreensões, mas o silêncio de Martinez lhe conferia uma espécie de sapiência, uma compreensão imensa:

— Você está me entendendo, Martinez?

Martinez balançava a cabeça, debulhando espigas de milho para fazer fubá.

— Eu preciso ficar algum tempo aqui para tentar pela última vez botar minhas ideias em ordem. Leite de vaca eu já tirei uma vez e de seringueira nunca, mas eu aprendo e posso te ajudar. E enquanto isso te ajudo na lavourinha. Me deixa ficar um tempo. Cada vez que penso em Laurinha só tenho vontade de morrer. O pior é que eu não consigo pensar nada até o fim, Martinez, você me entende?

Martinez assentiu com a cabeça. Murta já tinha falado muito a Martinez em seu remorso e nos nomes de João, de Mansinho, Geraldino. Naquele dia, ao pôr do sol, até que pareciam, o casal Martinez e Murta, velhos amigos conversando domingo numa varanda. Estavam sentados diante da cabana de Martinez. Talvez pelo hábito de falarem com Martinez sem esperar resposta, Murta e Carmencita conversavam em grande paz; com a certeza de que se um não ouvia o outro, Martinez ouvia os dois:

— Me dá às vezes vontade de ver de novo uma cidade como Cuiabá — disse Carmencita — mas qual, quem é que quer viver naquela babilônia, aquelas ruas cheias, aquela cidade que nunca acaba. Bom é a gente levar caçador no mato como os que estiveram mês passado aí, se lembra Martinez, o boliviano e o moço do Acre...

— Eu podia ter nadado do mesmo jeito — disse Murta — mas ver ali a *Faceira*, saber que estava cheia de amigos e que eu podia...

— Nem no dia que fisgou a pirarara virgem que peixão o Martinez não abriu a boca, nem quando abriu a boca do peixe virgem eu só tinha medo que tivesse dentro dele até homem, quer dizer era até bom se aparecesse algum assim inesperado, mas o peixe não tinha mais tamanho e podia até comer o Martinez...

— João, eu vi quando caiu e a metralha em cima dele era como se a gente batesse com uma vara um tapete pendurado para tirar o pó. Os outros vai ver que morreram também. E Laurinha, meu Deus, Laurinha! E o Comandante que morreu no mato dele sozinho, cercado de bolivianos treinados por americanos e por cães e helicópteros. Eu vi o helicóptero no dia da morte dele, juro, carregando nas patas um homem e até me lembrei da juriti do Geraldino carregando o esposo morto e talvez esteja morto Geraldino como morreu o Comandante Che...

Foi de repente. Teria sido a primeira vez que o Murta falava no nome do Che? Fato é que Martinez se voltou para Murta, segurou o braço dele com as duas mãos e interrompeu todas as conversas. Carmencita lívida ficou olhando Martinez, que disse:

— He-hijo.

Murta, que tinha dado um salto ao sentir no braço as mãos fortes de Martinez, voltou-se estupefato para o rosto intenso, para a cara pela primeira vez vincada, interessada, fascinada de Martinez.

— Ahn? — disse o Murta.

— Ucê fabló? Ucê ijo nombre?

Murta olhou Carmencita como a pedir auxílio e socorro, mas Carmencita olhava Martinez aterrada. Martinez se levantou e cresceu para Murta, sem dúvida encolerizado:

— Vusted mira que miente como filho da perra.

— Que é isso, Martinez? O que é que você quer de mim? Eu sou seu amigo Murta.

— Falló que Che...

— Che Guevara?

Martinez assentiu com seu menear de cabeça, mas os olhos fuzilantes.

— Che Guevara morreu — disse o Murta.

Diante da cabana havia um pé de jequitibá e no jequitibá um prego e nesse prego Martinez sempre pendurava o fuzil quando estava sentado como agora, diante da cabana. A árvore imensa com o fuzil à bandoleira parecia um gigante com um canivete na cinta. Martinez cambaleou até o jequitibá, desprendeu o fuzil e o ficou apertando nas mãos, cano encostado à cara, coronha entre as pernas. Olhou para os lados, olhou para o céu, olhou para o chão e de repente deu no mais puro castelhano e na mais total fluência o berro que atroou os ares do Paraguai e do Amazonas como um soluço de fúria e desconsolo:

— Ca-ra-jooooo!

Depois uivando e chorando disparou o fuzil para cima, para os lados, para baixo, e índios apareceram na boca do mato assombrados, carregando o corpo do índio que Martinez tinha acertado no meio da testa. Puseram o morto no chão e desandaram a falar enfurecidos, andando na direção de Martinez, que carregava o fuzil e atirava a esmo, outra vez sem falar, mas agora uivando muito, e os índios com suas bordunas o abateram a cacetadas.

Laurinha só comprou o jornal porque na Flora do Freixo faltava papel para acondicionar mudas e enrolar jarros. Foi assim que leu, com estupefação, o convite para o enterro de Mansinho. Provavelmente só agora tinham conseguido trazer seus restos mortais de Corumbá? Não devia ter comprado o jornal, pois sentia-se na obrigação de fazer o que não tinha feito, de procurar seu Frederico e dona Adelaide. Até agora mal havia pensado neles, ou em quem quer que fosse, drenada de qualquer piedade a partir do momento desesperado em que se abraçara na *Faceira* a João crivado de balas e em que tivera seu cadáver brutalmente arrancado dos braços. Não lhe sobrara nem piedade a sentir por si mesma quando foi presa, pela Polícia e pela Marinha, em Corumbá e Ladário. Atirou o jornal a um canto. Preferia nunca mais enxergar ninguém que tivesse tido alguma coisa a ver com a lamentável história, e sentia forças para cuspir na cara do Murta, caso jamais o revisse. Se ainda rezasse pediria honestamente a Deus que a morte do Murta tivesse sido severa e dura nas águas do rio Paraguai. Foi a lembrança de dona Adelaide que afinal levou Laurinha no dia seguinte à capela do Cemitério S. João

Batista, onde pouca gente, muito pouca, cercava o ataúde fechado e coberto de flores. Laurinha trouxe suas flores também, flores da chácara, mas antes de colocá-las em cima do caixão confundiu-se num longo abraço com dona Adelaide, cuja cara desfeita saía como uma flor de cinza da haste preta do vestido conhecido de Laurinha, vestido que antigamente cingia forte o busto generoso da dona e que agora se plissava todo feito uma bandeira de luto escorrendo de um mastro de ossos. A bandeira da guerrilha, pensou Laurinha, a flâmula dos trágicos incompetentes de que falava Gil, dos revolucionários cujo ímpeto derrubava as Adelaides e transformava os Fredericos no trapo que Laurinha estreitou a seguir contra o peito, um velhinho de olhos mortiços e assustados, grudado à mulher. Tudo mais continuava no mesmo, o poder nas mesmas mãos em toda parte, os países da América sentados de costas uns para os outros, plantando maconha no Atlântico e cuspindo coca no Pacífico. O pior é que não tinha nada a dizer aos dois velhos destroçados a não ser os vagos murmúrios de pêsames e condolências que brotam surdos e desprovidos de sentido como ruídos de gases, borbulhando nos intestinos. Um velhote empertigado que entrou logo a seguir apertou a mão de Frederico, disse qualquer coisa de heroísmo e citou o nome de Bolívar. O velho Frederico retirou a mão depressa, olhando inquieto para os lados, bateu várias vezes com a cabeça como quem deseja encerrar a conversa e foi espantar uma varejeira que zunia em cima das flores. Laurinha deu graças quando a procissão se pôs a caminho, pelas alamedas do cemitério. O sol batia cru e assanhado em cima daquela alva casbá de mortos, mas pelo menos Laurinha livrava-se do fedor de espermacete e flor moribunda que empestava a capela cavernosa e escura como um sarcófago. Seu Frederico ofereceu o braço à mulher mas na realidade apossou-se do braço de Adelaide para seu apoio. Laurinha colocou-se do outro lado para ampará-la e foram andando, andando, dobraram à esquerda, começaram a subir o morro. Pouco antes de chegarem à gaveta que ia receber o caixão de Mansinho, Laurinha sentiu a mão de Adelaide que se contraía no seu braço. Com os olhos Adelaide apontou ao longe um vulto esguio de rapaz, entre um pé de acácia e um anjo de sorriso alvar. Jacinto. Apesar do bigode que deixara crescer, bem Jacinto. Laurinha olhou dona Adelaide, espantada.

— Veio ver de longe a passagem do irmão — disse dona Adelaide.

— Mas... por quê?

— A Polícia foi lá em casa, revirou tudo, vasculhou tudo, e queria encontrar Jacinto.

— Quando foi isso?

— Logo que Mansinho... Nós ainda nem sabíamos. Tivemos a notícia da morte dele pela visita da Polícia.

Quando Laurinha de novo o procurou com os olhos, Jacinto havia desaparecido. Só estavam ali a acácia e o anjo alvar. E a imagem terrível de Adelaide e Frederico recebendo a notícia enquanto as gavetas eram atiradas ao chão e as coronhas espatifavam vidros. Ao terminar a pobre cerimônia de coveiros cimentando com um balde e uma pá a gaveta comprida que engolira o esquife de Mansinho, a figura de mulher que acompanhara de longe o cortejo esperou, cabeça coberta de um véu, que desfilassem todos de volta. Dona Adelaide foi até a moça, olhou-a de perto, levantou o véu que cobria Karin. O irritado sol que se esbanjava em superfícies frias e monumentos de bronze tirou gratas faíscas do cabelo de ouro.

— Obrigada, minha filha, por ter vindo — disse Adelaide.

— Eu não ia falar porque não queria... como se diz?... comover a senhora.

— Eu sinto falta de vocês amigas de meu filho, meio minhas filhas. Eram muitas. Você não se incomoda que eu fale assim, não é?

Karin abraçou dona Adelaide como tinha visto os brasileiros a abraçarem, um abraço apertado, cara contra cara, um quente e primitivo abraço. Pensou em Mansinho que lhe fechara a porta da sua revolução meio incompreensível. Adelaide rezava, dos tempos recentes para tempos recuados, um rosário de muitas contas que se chamavam Karin, Dora, Marta, Zulmirinha, Malvina, Hermengarda, Françoise, Valentina. Rezava sobretudo o nome de Mariana, a filha predileta, que nem sabia ao certo onde estava, ou se vivia.

— Venha em casa tomar um café conosco — disse Adelaide.

— Muito obrigada — disse Karin — mas não posso. Eu esperei o mais que podia, mas estou indo embora para a Europa.

— Então venha você, Laurinha. A casa está triste, vazia de gente e de muita coisa que eles levaram. Sabe que levaram até o mapa do Frederico, aquele do vale do Amazonas? Cismaram que era coisa de guerrilha.

Laurinha não tinha tido coragem de ir tomar o café. Prometeu visita para breve, mas o cemitério, Adelaide, o espectro que era Frederico, o vulto apenas vislumbrado de Jacinto, tudo punha a sangrar de novo a ferida que provavelmente não ia cicatrizar nunca mais. Ao voltar ao Rio, tinha ido pedir emprego a dona Maria, da Flora do Freixo. Queria casa e comida em troca de seu trabalho e dona Maria aceitou de puro bom coração a mocinha infeliz cujo marido doido tinha morrido no meio do mato, parece que ao lado do Che Guevara, e que até arranjar outro marido não saía da fossa em que se achava. Dona Maria esperava que só fosse ter hóspede por pouco tempo, pois bom negócio ela não achava que seria ter Laurinha ali não. Mas ao cabo de uma semana se penitenciava do mau juízo feito e espontaneamente fixava para Laurinha uma comissão sobre a venda de flores, porque Laurinha se metia entre as dálias, as rosas e os lírios com um chapéu de palha comprado na feira e do qual saía o pano que lhe caía sobre os ombros enquanto trabalhava duro como uma japonesa de plantação de café. Laurinha metia as mãos na terra e no estrume como se nunca tivesse feito outra coisa na vida e às vezes passava os dias na mata de Santa Teresa ou da Tijuca, voltando com o cesto cheio de avencas, tinhorões e samambaias, gravatás e strelítzias. Dona Maria passou da desconfiança inicial a uma supersticiosa admiração e uma fervorosa vontade de ver a menina de novo casada e feliz, mesmo que agora lamentasse perder a estranha operária que, quando lavava de tarde as mãos sujas de terra e o rosto suado, parecia aquela imagem que quando ela era menina haviam desenterrado lá nos campos do Freixo de Espada à Cinta e que depois de lavada na fonte começara a brilhar de beleza e a fazer milagre a torto e a direito.

Do passado Laurinha só guardara o livro de João. Precisava refazer parte do índice que ficara preso com a cópia que levara a Corumbá, mas isto era fácil. Esperava que pudesse voltar ao livro sem mais emoções, reencontrando João num plano natural, o mais natural que fosse possível. A vontade que agora sentia de voltar ao trabalho no livro era violenta, excessiva como a vontade que tinha às vezes de entrar ou pelo menos rondar o Bar Don Juan. Uma noite chuvosa tinha saído a pé da chácara, capa de chuva e velho chapéu impermeável na cabeça, óculos escuros, e deixou-se apanhar no Flamengo por um carro dirigido por um homem de meia-idade, cheio de uísque, que devia estar vindo de algum jantar ou coisa assim e procurava uma aventurinha de beira de calçada antes de voltar para casa. Ela queria dançar em algum cantinho de Copacabana? Não? Queria ir diretamente a um hotel? Também não? Ele também achava que o melhor era encostar o carro num canto escuro. Podiam passar para o banco de trás, quem sabe. Enquanto dirigia para o Arpoador, falando e falando, pôs as mãos nos joelhos dela, pelas coxas, e Laurinha só pensava em João vendo aquilo, era só esta ideia que fazia ela deixar aquela mão de lesma acariciando as coxas de João. Quando o carro parou no escuro do Arpoador ele puxou a mão dela para o membro duro e meteu a mão na blusa acarinhando os seios e beijou o pescoço de Laurinha, mas quando procurou os lábios ela o empurrou com energia embora deixasse em paz a mão dele nos seios enquanto ela mirava em frente. O homem olhou a beleza distante e ficou um pouco sem jeito. Achava que ela queria um drinque, não? Laurinha ouviu o demônio que lhe soprava o nome do Bar Don Juan e ia falar mesmo, ia dizer Bar Don Juan, vamos ao Bar Don Juan, vamos tomar um porre no Bar Don Juan e depois você me trepa toda, faz o que quiser, mas me leva, me leva ao Bar Don Juan, eu quero ir ao Bar Don Juan, vamos ao Bar Don Juan, mas as palavras não saíram e ela sentiu que o homem se retraía, que tirava o carro de cima da calçada para retornar a Copacabana sem dizer mais nada, só olhando ela furtivamente um instante, guiando até o ponto onde Laurinha entrara no carro. Ali parou e abriu a porta dizendo desculpe, desculpe e Laurinha saltou e foi embora para casa.

Uns dois dias depois do enterro de Mansinho recebeu na Flora do Freixo a visita de um rapaz de bastos bigodes e óculos de aro de metal, acompanhado de outro, pouco mais velho, de barbicha pontuda, ambos carregando ostensivamente potes de mudas, como se fossem propor algum negócio. O do bigodão deu um beijo estalado no rosto de Laurinha. Era Jacinto, menos reconhecível agora com os óculos além do bigode.

— Que bom que você veio me visitar — disse Laurinha.
— Eu vi você de longe, no cemitério, e fiquei cheia de saudades. Mas você está tomando suas precauções, não está?

— Estou. Nunca durmo em casa, por via das dúvidas mas os caras não são de nada. Eu passo lá umas duas vezes por semana, para ver os velhos e trocar de roupa. Vou assim de noitinha. Eles nunca mais voltaram. Este aqui é o meu colega João Batista, da Filosofia, doido pelo João e pelo livro do João.

E João Batista, sério e intenso:

— A senhora não sabe o que representa para mim conhecer quem amou e acompanhou João até o fim. Em comparação com ele somos duros e frios e por isso nossa revolução há de vingar. Mas será graças a ele, sabe, até graças aos erros dele, que seriam os nossos. Estamos organizados para uma luta que morte nenhuma pode alterar. Só incendiando as cidades do Brasil conseguiriam destruir todos nós. Mas é importante saber que os espanhóis buscavam as Índias do espírito quando descobriam as Índias geográficas ou que San Juan era marxista. E também é importante saber que estamos todos vivos agora, de novo...

Jacinto sorrindo interrompeu João Batista, que só então reparou no pote que tinha na mão e o pôs em cima da mesa.

— Laurinha está querendo te perguntar alguma coisa mas não consegue te interromper — disse Jacinto.

— Todos os que já viveram vivem conosco? — disse Laurinha.

— Isso era o Murta que nos dizia, falando no remorso dele, dizendo que todos os homens, de todos os tempos, voltaram para condená-lo.

— Murta? Quando?

— Tem poucos dias — disse Jacinto —, no Engenho de Dentro.

— Então está vivo?

— Vivo mas internado no hospício de doidos. Foi apanhado em Manaus e chegou ao Rio preso. Depois enfiaram ele no hospício.

— E... Está doido mesmo? — disse Laurinha. — Porque ele sempre foi meio esquisito, não?

— Isso é que eu disse ao João Batista, mas o Murta agora está magro de meter medo e muito mais sombrio. Diz que é o primeiro verdadeiro cidadão latino-americano, o único por enquanto. Mas tem uma coisa, Laurinha, que ele fala brando e sério, com uma sinceridade de dar pena. Que ele só se salva se tiver o seu perdão, se você disser que ele está perdoado.

Laurinha falou dura, encarando os dois rapazes.

— Se é esse o recado que vocês vieram dar, está dado. Passem bem.

Jacinto e João Batista se entreolharam, atônitos.

— Não deve estar louco assim, se lembra tão bem o que fez — disse Laurinha. — Vocês sabem o que ele fez?

— Ele contou — disse João Batista. — Falou que bateu e bateu no barco.

— E vocês se arriscando a visitar esse idiota!

Jacinto falou intimidado, criança por trás dos bigodões:

— No hospício é fácil. Não perguntam nada não.

Laurinha sentou-se, apoiou os cotovelos na mesa e escondeu o rosto nas mãos, entre os potes de plantas. Depois encarou os dois, forçando um sorriso:

— Talvez vocês um dia odeiem também, mas eu preferia que outra pessoa, não eu, desse a vocês uma primeira demonstração de ódio.

João Batista se ajoelhou aos pés de Laurinha e falou em voz baixa e comovida:

— Demonstração de sofrimento, que a gente respeita. Mas a senhora sabe, dona Laurinha, tudo faz parte. É assim que eu coloco a questão. Só depois que a gente vence é que as coisas se revelam como são e as coisas que passaram por ser comédia e besteira se justificam. Antes não dá. Não dá para a gente bolar o desenho, sabe como é? Eu tenho um colega que foi aluno do João e me disse que o João no livro dele chegou mais perto que qualquer um do desenho que serve para a gente. O livro está pronto? Me dá que eu tenho quem publique, aqui e em Buenos Aires.

— Quase pronto. Só me falta acabar o índice.

— Então olha. Vou escrever aqui o telefone duma tia minha. Pode telefonar sem susto que ela nem sabe que eu estou na onda. Basta a senhora dizer que precisa falar comigo que eu venho.

— Esse camarada que o João Batista falou está escrevendo um estudo sobre a obra e a morte de João — disse Jacinto. — Só que a Polícia anda na pista dele. Você não tem um lugar onde ele pudesse ficar?

Laurinha procurou esconder seu cansaço e sua irritação.

— Como, meu bem? Esconder onde? Aqui na chácara?

— Eu pensei... Seu apartamento não está vazio?

— Está, doidinho. Exatamente. Se de repente aparecesse lá um estranho...

— Claro, claro. Mas se você reabrisse o apartamento, dissesse ao porteiro que vai alugar, e aí então ele podia aparecer e...

Jacinto sorriu e continuou:

— No duro, no duro, Laurinha, você devia engrenar com a gente. O desenho está saindo. Vai sair. Juro.

Laurinha olhou os dois rapazolas com ternura e pena. Na informe luta brasileira eram como os garotos que os exércitos em desespero convocam no fim das guerras, quando os homens já foram aniquilados.

— Me deixem sossegada por enquanto — disse Laurinha.
— Mais tarde, quem sabe. No momento como vocês veem eu estou procurando virar planta.

João Batista falou sério, levantado-se:
— A senhora virava rosa fácil, fácil.

Laurinha sorriu:
— Obrigada, João Batista. Dê cá um beijo, Jacinto.

Quando os dois partiram, Laurinha, sem olhar o papel em que João Batista escrevera o telefone, amassou-o e jogou fora entre as flores e folhas secas no chão, tomada de um desejo de vida crua e sacrílega, de sentir-se realmente perto de João, punindo João pela sua ausência, e foi rondar a Polícia na rua da Relação, olhando os que entravam e saíam, procurando Salvador. Ia falar com ele, ia talvez descobrir... O quê? Nada. Fazendo mistério de nada. Sozinha no mundo como aquela Ermelinda da história de Geraldino. "Eu fiz tudo para morrer antes. Até xinguei o santo para morrer de raio. Deus morreu antes de mim, o desgraçado." João tinha morrido antes, era apenas isto.

— O Salvador está aí?

A sentinela olhou Laurinha espantada:
— Que Salvador? O Delegado? Cara grisalho?
— Não, investigador, moço. Sobrancelha fechada.
— Esse morreu, uai.

Morto. O velho Andrés também, achado morto debaixo do seu crucifixo de pernas para o ar, o livro de João nos joelhos. Parecia no seu caixão o conde de Orgaz.

Um dia uma Mercedes entrou pelo portão da chácara, e do carro saltou sua antiga vizinha Lotte. Dona Maria estava no balcão e Laurinha na comprida mesa do fundo, cuidando das mudas. Pousou as mãos na mesa entre jarrinhos num transe de pena e de saudade e ficou olhando Lotte, que não podia conhecê-la, que nunca vira Laurinha e que pedia a dona Maria um grande ramo de saudades, sim, só isto, um ramo grande de saudades. Dona Maria ia sair para colher as flores, mas Laurinha passou pela porta feito uma sombra dizendo que deixasse, ela ia buscar as flores. Saiu para a chácara cheia de sol e foi ao canto das saudades naquele enlevo e tristeza, sabendo ao certo para que eram as saudades, provavelmente o aniversário da morte, sem dúvida o aniversário da morte e querendo muito mas sabendo que não ia ter coragem de perguntar pela família inteira, onde estavam morando e como iam as outras crianças. É claro que não tinham conseguido viver muito tempo na casa depois daquilo, mas onde teriam ido morar? Ela gostaria tanto de rever o velho alemão, de saber se o pequeno Fritz estava muito crescido e se Hilda ia bem nos estudos. Quando voltou e entregou o buquê, Lotte perguntou quanto era e Laurinha sorrindo tímida disse que não era nada não, era um presente para Amelinha. Lotte que já tinha aberto a bolsa parou num assombro olhando Laurinha, quis dizer alguma coisa mas não soube o que, fez estalar nervosa o fecho da bolsa, segurou as flores que Laurinha lhe estendia e voltou ao carro como quem viu assombração. Manobrou depressa, saiu para a rua e quando Laurinha assomou à entrada, enxergou ainda a Mercedes que se afastava veloz e o ramo de saudades que saltava pela janela e se chocava com o asfalto pondo uma mancha roxa no chão. De manhã cedo em lugar de trabalhar na chácara foi à casa abandonada de Santa Teresa.

Passou pelo seu edifício sem olhá-lo, sobretudo sem olhar sua própria janela, e chegou ao portão da casa. Estava de novo ocupada. Tinha as janelas abertas. O jardim, maltratado, simples pátio de terra batida, estava cheio de crianças. Ai! De crianças era modo de dizer. Estava desfigurado por monstrinhos semimecânicos, reluzentes ao sol com suas pernas artificiais, suas cadeiras de roda, suas tiras de metal e couro moldando braços e queixos, crianças barulhentas, algumas meio normais, outras produzindo com a garganta gorgulhos de cano entupido ou babando dos beiços como sinistras gárgulas de catedral depois da chuva, quase todas de andar descompassado, aos arrancos, os pés de caranguejo se encontrando a cada passo feito foices conjugadas numa máquina inexplicável, as mãos se batendo com o ar feito pássaros grudados pelo pé à fina vareta de visgo dos braços esqueléticos. Laurinha fechou os olhos e apertou os ferros do portão com violência pensando, possessa da sua ideia, que aceitaria ir dali para o inferno se a terra diante dela se rachasse e engolfasse para sempre aquele terrível circo e de novo emergissem o gramado, as plantas, a piscina, as crianças da casa e a música triunfal.

— Deseja alguma coisa, minha filha?

Quem fazia a pergunta era uma senhora de meia-idade, cabelos grisalhos e olhos risonhos. Laurinha saiu com esforço do seu sonho de extermínio e disse que não, que tinha morado perto e só desejava rever a casa, o bairro. Não, muito obrigada, mas não queria entrar não. Procurava soltar as barras do portão para ir embora, mas sentiu o suor frio pelo corpo, os olhos escurecidos, queimados pela visão. A voz da senhora viajou de longe até seus ouvidos, uma voz aflita:

— Entra, minha filha, vem comigo.

Mas Laurinha fez que não com a cabeça, agarrada aos ferros como quem se recusa a entrar numa jaula para sempre. Quando voltou a si, a senhora é que estava do lado de fora. Dava de beber a Laurinha um copo d'água que uma atendente jovem trouxera. Laurinha voltou a si, envergonhada, não do que pensara mas do papel que fazia. A atendente falou para a senhora:

— É melhor deitar ela um pouco, dona Matilde.

— Venha — disse Matilde —, venha repousar um instante.

Laurinha ia ceder quando viu o anel de crianças por dentro do portão, vagamente interessadas no que ocorria, estendendo braços para o copo d'água, umas de espinha curvada, outras de cara à banda, feito *fox-terriers* intrigados, boca pingando.

— Não, muito obrigada — disse Laurinha. — Agora estou perfeitamente bem.

Matilde tirou um lenço do cinto, enxugou o rosto de Laurinha.

— Volte, volte quando quiser.

E quando Laurinha estendeu a mão em despedida, Matilde disse:

— Dê cá um beijo — e roçou de leve a testa de Laurinha.

Ao voltar de Santa Teresa sabia que, se não falasse com alguém, ia entrar na loucura, ia abrir aquele portão em sonhos e acordar doida. Falou com dona Maria, contou a história da casa. Dona Maria foi ardilosa. De início se animou com a narrativa, os olhos negros e redondos brilhando na cara rosada, e, num gesto muito seu quando prestava apaixonada atenção a alguma coisa, fincou os cotovelos no balcão e se pôs a acariciar, com o polegar e o indicador de cada mão, os brinquinhos de ouro engastados no lobo da orelha. Esperou que Laurinha dissesse que tinha afinal encontrado um novo interesse na vida. Quando Laurinha acabou, ficou ainda um instante esfregando os brincos. Como não vinha mais nada dona Maria deu de ombros:

— E o que é que a menina pretende fazer?

— Eu não quero voltar lá nunca mais, nunca. Mas sinto que devo uma explicação, uma satisfação qualquer a dona Matilde.

Dona Maria estendeu o alicate:

— Vá lá ao muro do fundo que está pejado de rosas, das claras e das vermelhas. Faça um ramo bonito, leve-o à tal da Matilde e não pense mais na história.

As rosas não passavam pelas barras do portão e nem Laurinha pôde se esquivar à acolhida de Matilde, que pegou o ramo com a mão esquerda e na mão direita tomou a mão de Laurinha, para levá-la à varanda. Laurinha sentou-se de costas para seu edifício. Onde estivesse Matilde, vinham as crianças, que cercaram a mesa e as cadeiras onde se sentavam as duas. Uma delas se apoiou em Laurinha, ergueu com esforço o rosto e murmurou alguma coisa ininteligível. Laurinha sentiu no braço um pingo quente de baba e para disfarçar sua crispação perguntou a Matilde que era.

— Está perguntando seu nome.

Laurinha olhou a criança, que esperava a resposta com ar de tensa expectativa, e para evitar o espetáculo da cara e da boca mirou uns olhos luminosos, de uma grande profundidade castanho-clara.

— Laura — respondeu —, Laurinha.

Mas os olhos do menino a perturbavam, desperdiçados na cara contorcida.

— Desculpe, dona Matilde, mas eu trabalho numa chácara, está na hora. Preciso ir.

— Perfeito, perfeito. Foi tão amável trazer as rosas. Eu só queria que visse um instante a casa, as instalações.

Pescadora de gente, pensou Laurinha. Ela sabe que as pessoas machucadas se voltam para os que também se magoaram, mas não sabe que estou seca por dentro, escura. Vou. Vou visitar a casa para imaginar onde dormia Amelinha, onde trabalhava o velho vestido de branco, de onde saía a música, vou tentar imaginar tudo tal como era ao tempo em que não havia carros de roda no jardim e muletas pelos cantos da casa. Matilde falava e Laurinha percebia vagamente que expunha o árduo trabalho de cuidar daquelas crianças e a tremenda alegria que era colher os resultados. De volta as duas à varanda, Laurinha só esperava um momento de silêncio de Matilde para sair.

— Você gosta de música? — perguntou Matilde.

— Adoro — disse Laurinha, vaga. — Os donos desta casa também gostavam. Mozart, Bach.

— Devia ser linda a casa.

— A casa mais linda — disse Laurinha —, mais feliz.

— Eu posso imaginar. Mas o que eu queria dizer quando falei em música é que quando olho, daqui, por exemplo, as crianças tentando brincar normalmente no jardim, sinto assim como se elas fossem uma música desarrumada, sabe, as notas fora do lugar, mas que vão um dia se coordenar, se harmonizar.

Matilde sorriu, balançando a cabeça:

— A gente nunca sabe. Talvez eu só sinta tanto por elas porque tive grandes ambições musicais e pouco talento para realizá-las. Mas agora estou contente. Você não imagina o custo que foi levantar os fundos para comprar esta casa e poder trabalhar direito, dar a esses meninos espaço, luz, ar.

Já estavam no portão. Matilde agora falava com menos ânimo, diante do desinteresse de Laurinha:

— Eu só gostaria — disse Matilde — que eles pudessem fazer natação. É uma ajuda preciosa.

Laurinha apontou o centro do pátio.

— Ali tem uma piscina.

Matilde olhou o pátio poeirento, amarelo, e em seguida olhou Laurinha.

— Foi atulhada de terra — disse Laurinha. — Uma menina da casa morreu na piscina. Levou um choque e se afogou. A piscina foi soterrada.

Laurinha sentiu Matilde temerosa da esperança, com medo de toldar a miragem que crescia dentro dela.

— Como foi? Apenas puseram terra dentro?

— Sim, puseram terra. A piscina deve estar aí. Tinha água própria, do poço.

— O poço artesiano? Aquele que ainda nos serve?

Sem esperar resposta Matilde entrelaçou as mãos diante de Laurinha, como se rezasse a Laurinha.

— Me ajude, minha filha, pelo amor de Deus. Eu senti, outro dia, que você nos trazia alguma coisa. Alguma coisa assim linda como você.

11

No instante em que Laurinha fugira para bordo da *Faceira*, ao encontro de João, Gil e Mariana tinham tomado o avião de Cuiabá e daí viajaram para leste, para as solidões do Chapadão, onde os esperava um grande rancho de ripas cobertas de palmas, perto de um lago onde na estação das chuvas misturam-se as águas que vão por um lado nutrir as torrentes que caem para a bacia amazônica e pelo outro lado vão dar nos mananciais que correm para a bacia do Prata. Quando chegaram, o caseiro Antônio Pareci e sua mulher Makoirocê trabalhavam no hectare de roça e horta, cercado de palmeiras carandá. Largaram as enxadas para cumprimentar os novos patrões e para cobrir um pouco a nudez, pois embora fossem índios civilizados a solidão do rancho restaurava saudáveis hábitos ancestrais. Para vê-los ali só havia emas, seriemas, um casal de jaburus. Dentro de pouco tempo Mariana e Gil iniciaram, vagabundando pelo Chapadão, uma espécie de lua de mel cósmica, como se sentissem que, caso a interrompessem, graves desapontamentos geológicos fariam estalar o coração de ferro do mundo moendo a terra num pó e fazendo do mar um borrifo breve entre as estrelas. Para impedir tal catástrofe no único astro decente e habitável, Gil e Mariana, quando fazia sol, se amavam em lagos e secavam se amando em esteiras, buscavam furnas e cavernas quando ventava ou chovia, e às vezes, apanhados pela noite à meia encosta de algum monumental arenito vermelho da Chapada, faziam ninho numa prateleira da rocha e o sol nascente iluminava os dois como um friso amoroso no muro de um templo arruinado. Acabaram num mundo tão erotizado que um casto algodoeiro ou uma lagoinha recém-nascida tinham tanta significação carnal quanto o coito dos bichos no chão ou a paixão estridente das aves em grimpa de árvore, quanto as fendas em pedras agachadas e lúbricas como velhas deusas da fecundidade, quanto os calcários desbastados pelo vento até formarem falos duros e sonhadores estirados do ventre da Chapada em busca de alguma prega entre nuvens. No seu próprio corpo o amor não dependia mais de honestos usos imemoriais ou de procuras vãs nos doces jogos de armar angras e quilhas, saliências imprevisíveis em reentrâncias que ninguém diria. Era um viver sem memória e sem intenção, que fez durante um tempo do amor de Gil e Mariana a mecha central da flama de amor que aquece o mundo. O ventre dourado de sol de Mariana começou a se arredondar e, quando singravam o lago no barco de Antônio Pareci, Gil suspendia os remos para deixar que o barco fosse impelido pela vela morena, e para ver, emergindo das águas, os olhos de jacarés extáticos diante de Mariana nua. Mariana despertava numa exaltação quando dormiam ao relento temendo que algum pelo áspero tivesse começado a cobri-los ou jurando que sentia nos ombros de Gil um duro prenúncio de asas. Mas nem com asas e nem com patas conseguiriam levar para mais longe do que faziam agora os vestígios do seu amor: o dia os apanhava quando se lavavam e se possuíam num riacho que seguia para o Amazonas e o pôr do sol ia encontrá-los lavando os amores da manhã e perfazendo os da tarde num arroio que rolava para o rio da Prata. Lavavam-se um ao outro do suor e dos sucos do amor em duas vertentes continentais e depois contemplavam as águas assim fecundadas como ternos titãs que acabaram de semear sua prole pelos vales do mundo. Acordando uma noite ao luar, Mariana viu o corpo de Gil eriçado de sexos de prata. Nessa noite alarmou-se e no dia seguinte, a despeito dos protestos de Gil, organizou a rotina caseira em torno da espera da criança, pôs-se a cuidar da casa, espanou a máquina de escrever de Gil e limpou o teclado com um pano de flanela e gasolina. A vida sedentária de Gil e Mariana no rancho atraiu ao círculo da casa Josefo, o jaburu que morava no seu enorme ninho no alto da piuveira. Josefina, a jaburua sua mulher, frequentava menos a casa, mas às vezes compareciam os dois a olhar gravemente Gil e Mariana. Um dia Mariana se viu morta em sonhos e viu Gil num desespero, decepando a cabeça do jaburu para irrigar seu túmulo com o sangue. Mariana sofreu uma pequena hemorragia e teve medo de desapontar Gil caso morresse.

— Meu anjo — disse Mariana —, deve haver um limite para a felicidade que se pode aguentar. Acho que a vida atormentada que eu levei entre Gil e Gil me deixou despreparada para este excesso. As cigarras no verão não arrebentam de tanto cantar?

— Conversa — disse Gil —, cigarra larga a casca numa árvore e vai cantar em outra.

— Olha, Gil, eu não morro sem ter uma filha. Vai se chamar Mariana, ouviu? Sou eu.
— Ninguém é você.
— Eu digo se eu morrer, Gil. Você cuida dela. Cria ela para ser a vida inteira o que era a mãe quando ela nasceu, Mariana feliz.
— Se você morrer — disse Gil — eu te mato.

Gil disse isto sorrindo, carinhoso, mas Mariana divisou por trás do carinho uma ameaça geral, como por trás de uma ovelhinha uma muralha imensa, embutida de canhões. O mesmo sentiu o médico que Gil mandou Antônio Pareci buscar em Cuiabá e que regressou rápido, pretextando ofensa diante do fato de Mariana ter aceitado tomar umas ervas que lhe trouxe Makoirocê. As ervas foram um verdadeiro mata-borrão e a gravidez de Mariana continuou pacífica a lhe enfunar o ventre. E foi aí que Mariana teve tempo e vagar de observar uma coisa: o ventre de Gil também se arredondava. Gil a alarmou um tanto com uma afirmativa que a fez pensar em páginas doidas do *Livro do que fazer*.
— Você me engravidou.

A prosaica verdade é que Gil engordava, engordava muito. Antes de partir de Corumbá rabiscara às pressas um telegrama ao seu editor pedindo novo prazo pois precisava alterar o livro. Queria rudes personagens da América do Sul para fixar a forma sempre repetida e sempre enigmática mediante a qual indivíduos se aglutinam em tribo encarregada de transformar em templo o túmulo do pai e as circunstâncias do seu assassinato. Uma nova seiva sombria fervia ao Sul do continente e através do pênis da América Central, Iucatán e México inundava os refolhos antissépticos da outra América, loura e gorda. Depois achou que um livro assim teria um sabor arcaico de epopeia ou riscos sérios de tombar no panorâmico *vistavision metrocolor* e fechou-se em romance do ponto de vista de João, do Brasil-Sancho fazendo o dom da sua prudência à América Espanhola e recebendo em troca o reflexo fidalgo do delírio quixotesco, depois fechou-se mais ainda, numa espécie de biografia romanceada de Geraldino como típico herói moderno que enxotou Deus do Céu para buscá-lo até debaixo das pedras, trancou-se quase por completo no plano de um fino estudo psicológico dos brasileiros mortos em Corumbá e finalmente anunciou a Mariana:

— Ou bem eu estava querendo escrever livros que já escrevi, ou bem ia escrever livros que não são meus. Vou escrever o livro de nossa vida, Mariana. Os revolucionários só aparecerão nos pontos em que entram em contato com ela.

— E enquanto isso o Brasil hiberna.

— E não está hibernando, meu bem?

— Nossa vida é uma história pouco exemplar. Pelo menos na parte que me toca eu me sinto como se estivesse comendo sozinha, às escondidas, a ração de felicidade de uma geração inteira.

— Pensa, meu bem, nas mil misérias que levaram ao nosso êxtase, na marcha que nos trouxe ao Chapadão, nos obstáculos que precisei arredar para que o seu amor por mim se reencontrasse.

Mariana sentiu que com todos os riscos de toldar uma ventura que Gil conquistara com penas muito maiores que as suas, o momento era de remédios duros:

— Imagino que um herói do seu livro será Mansinho.
— Isto me parece inevitável — disse Gil pensativo.

Mariana começou a odiar o livro que Gil escrevia e tinha ímpetos, no fim do dia, de amassar bem as páginas que saíam da máquina para suprir a falta do papel higiênico que tinha de vir de Cuiabá. De qualquer forma, as páginas eram poucas, Gil dormia até tarde, engordava. Mariana chegou a pensar no assalto final da sua guerra ao livro recusando seu corpo a Gil. Mas isto ela sabia que não aguentaria muitos dias e que o resultado da sua rendição podia ser um erro tático fatal. Teria ela nascido para, com sua ausência ou sua presença, perturbar a vida de Gil? Foi salva da angústia pela chegada ao rancho do Chapadão de Aniceto com a Da Glória, que tinha olhos garços e cabelos negros. Aniceto não sabia se por acaso João alguma vez falara a Mariana ou Gil na irmã dos seus tormentos e entrou no assunto explorando o terreno com pata acolchoada em algodão mocó.

— Não sei se falei aos meus amigos na Da Glória.

Gil e Mariana apertaram a mão da cabocla que tinha corado como água de pote de barro em que se derrama tinta de urucum. Gil sorriu:

— Não, Aniceto avarento, nem falar você falou nesta beleza que escondia de todos. Casou com ela?

E Aniceto, aliviado mas ainda cauteloso:

— Pois é, não é. Assim mesmo tinha de ser. O que está escrito, escrito está.

A simples presença de Aniceto já teria trazido a Mariana um alívio, mas Aniceto completado pela moça Da Glória era grande fonte de tranquilidade, não de uma parda tranquilidade bovina da qual Mariana fugia mas da tranquilidade dos bichos que são guerreiros mesmo em repouso. A semelhança entre Aniceto e Da Glória, Mariana não adivinhou que fosse de sangue irmão, mas qualquer um veria e sentiria entre eles uma afinidade que ia muito além das coincidências e fatalidades do parentesco estabelecido em cartório e sacristia: se tivessem nascido nos antípodas os dois cavariam a terra, cada um pelo seu lado, até se encontrarem no meio. O jaburu de Mariana, que quase não frequentava mais seu imenso ninho no alto de uma árvore, voltou à jaburua durante dois dias, para observar lá de cima os recém-chegados, mas ao cabo desse tempo, numa bela manhã de sol em que Da Glória tímida mas compelida pelo exemplo geral apareceu também nua diante do rancho, o jaburu abriu as asas, veio planando até diante dela. Da Glória ainda estava de pé frente a Aniceto, Mariana e Gil, vestida de cordão de ouro e medalha, encolhendo-se sem saber, na esperança de disfarçar aquela doidice de aparecer aos outros como só se aparece diante da tina de tomar banho. Quando o jaburu aterrissou, Da Glória se perfilou, peito para a frente, braços ao longo do corpo, cabelos jogados para trás. Havia uma palmeira junto dela e Da Glória parecia palmeira da mesma espécie que de susto tinha virado mulher. Os outros riram e Da Glória, fitando o jaburu que a olhava com atenção, fez um lento sinal da cruz de testa, umbigo, seio esquerdo e seio direito, mais se diria que benzendo a mão em sítios de tal forma lindos que invocando um Deus que no entanto invocava com grande apreensão:

— Aniceto — disse Da Glória —, esta cegonha do cão veio trazer o nosso filho.

Da Glória voltou correndo para dentro de casa. O jaburu olhou gravemente os que ficavam, como se tivessem culpa da retirada, deu uma corrida pelo chão e alçou voo, regressando ao ninho no alto da árvore. Aniceto pregou os olhos no ninho e Mariana triste perguntou a si mesma se ele não estaria invejando o casal de jaburus, pois percebera que por dentro dos dois belos bichos os vermes do espírito roíam as centelhas de alegria que afloram nas manchas douradas do pelo: assim nascem as onças tristemente marrons.

— A Da Glória tem medo de ter filho? — perguntou Mariana.

— Hum — disse Aniceto —, esta é uma história comprida. Ela tem lá os medos dela e eu tenho os medos meus.

— Você não tem medo de nada, Aniceto, você tem o corpo fechado — disse Gil.

Mas o espírito vive aberto, pensou Mariana, enquanto Aniceto respondia:

— Ah, se meu medo pudesse voar embora de mim eu convencia a Da Glória que o filho podia vir. Se minha promessa desse jeito de cumprir.

— Isto é segredo, Aniceto?

— Só é segredo pela vergonha que eu tenho de não estar pagando ela, Gil. Foi promessa feita a João. Se ele morresse antes de travar a luta, eu dizia ao Comandante que ele tinha caído na mesma guerrilha, só que longe dos companheiros.

— O Comandante morreu, Aniceto — disse Mariana.

— E morto não aceita recado — disse Aniceto. — Assim é. Se eu tivesse ido correndo, antes de secar a roupa depois de saltar do barco, no rio Paraguai! Mas Joelmir ia indo para Valdelize e eu...

Aniceto balançou a cabeça, olhos fitos no ninho do jaburu. Mariana se levantou, com vergonha de estar em pelo. Quando ia chegando ao rancho viu lá dentro, cara apoiada nas mãos, a Da Glória, vestida. Da porta, Mariana falou para os homens:

— Vou me vestir. Acho bom vocês se vestirem também.

Gil e Aniceto a olharam, esperando talvez alguma explicação, e Mariana acrescentou, sem maior lógica:

— Temos muita coisa importante a discutir.

Aniceto e Da Glória tinham vindo apenas aprofundar um enjoo que ameaçava assumir as proporções do Chapadão e ao qual só Gil parecia imune, batendo máquina horas a fio e rasgando depois a maioria das páginas, em caprichosas tiras finas que soltava ao vento como se escrevesse para os arenitos e os carandás.

— Cuidado que assim o papel acaba — dizia Mariana exasperada.

— O livro está se concentrando, meu bem — respondia Gil. — Nada dele está se perdendo. Será meu livro menor, e o mais intenso. No fim poderei inscrever a história num lenço, como uma verônica.

Aniceto saía para caçar, com uma espingarda que Gil tinha trazido de Cuiabá, e às vezes passava dois a três dias tocaiando cervo ruivo na beira dum corixo ou rastreando vara de caititus. Pelo menos era o que dizia, mas pelo número de vezes que voltava com apenas um mutum ou uma paca no embornal dava a Mariana a impressão de que só nas últimas horas derrubava um bicho qualquer. Gil gostava de puxar por Aniceto, de ouvir suas histórias, mas o outro andava curto de confidências. Num desses regressos de caça Gil perguntou:

— Deu sorte hoje?

— Qual! Só um tatuzinho. Assim mesmo porque me virou as costas. Bicho sabe quando a gente se mete numa guerra e nem chega a dar um tiro.

Gil suspirou:

— De guerreiro só tinha mesmo você. Por isso não chegou a matar ninguém.

— Bem, quer dizer. Na guerra mesmo não — disse Aniceto.

— Alguém à margem?

Aniceto rilhou os dentes, uma onda de fúria avermelhando sua cara:

— Um torturador da peste. Dias antes da gente sair do Rio.

Mariana começou a discutir com Gil a necessidade de irem todos embora dali, qualquer que fosse o risco, mas Gil dizia que precisavam aguardar que ela desse à luz. Mariana implorava à natureza bruta do Chapadão que lhe amadurecesse depressa o filho no ventre e saíssem todos, antes que o livro de Gil passasse dum lenço para uma cabeça de alfinete, um confete. Enquanto esperava que o filho crescesse, que Aniceto voltasse da caça, que Gil sentasse à máquina como fazia outrora na avenida Niemeyer — como um ferreiro sentando de manhã entre seus ferros ou um correeiro entre seus couros — enquanto esperava, Mariana foi se aproximando de Da Glória em busca de naturalidade, de paz de espírito. Tímida, esquiva, Da Glória em geral apenas assentia com a cabeça e sorria vagamente, enquanto seus longos dedos morenos bordavam linho num bastidor como peixes cruzando e recruzando uma lagoa rendada de sol. Eram roupinhas para o filho de Gil e Mariana.

— Olhe — disse Mariana um dia —, você trabalha tão ligeira que já tenho roupa demais para uma criança. Agora nós duas vamos trabalhar para o seu filho.

Da Glória sorriu, sem dizer nada. Mariana continuou:

— O Josefo faz você pensar em cegonha e te dá medo de ter filho aqui neste deserto. Mas isso é tolice, não tenha medo não.

Mariana estendeu as mãos, tomou as mãos de Da Glória nas suas e colocou-se sobre seu ventre, onde sentia que o filho se mexia. Mas Da Glória mal sentiu o movimento, retirou as mãos, como se estivessem ardendo em fogo, fez um sinal da cruz espavorido e desabou numa confissão toda alastrada das interrogações que não havia de parar de fazer a si mesma. Do contrário não cairiam entre as palavras em tal profusão, como uma chuva de anzóis tentando pescar respostas em Mariana.

— Deserto? Eu espero que deserto para todo o sempre seja o meu ventre. Pois meu pai não morreu morte de outro, para evitar de conhecer a verdade? Minha mãe nunca falou nada, nada, mas que sabia estou ciente que sabia, e morreu, pode ser, de saber. Aniceto foi me buscar de vez porque amigo dele que era padre, tal de Geraldino, disse a ele que o mundo começou desse modo mesmo. Você acha que foi? Acha? Começou assim?

— Como? — disse Mariana contagiada pelas perguntas que começavam. — Assim como?

— Irmão tomando irmã por mulher? Foi assim? Você está me olhando assombrada porque não sabia da desgraça não é? A mãe morreu de saber e o pajé do catimbó adivinhou.

Da Glória deixou cair o bastidor e comprimiu com as mãos o liso ventre:

— Deserto ele tem de ficar.

Mariana ficou um instante sem fala, pedindo ao filho que sossegasse no seu corpo. Para não ofender Da Glória? De medo que ela o arrancasse da sua carne?

— Vocês se amam muito? — disse Mariana.

— Ah, é amor que se chama isto? O da gente é feito um mal de morte que ressuscita a gente todos os dias para maltratar com mais força no dia seguinte.

— Se é assim, Da Glória, está tudo direito.

— Mas fica faltando, Mariana, fica faltando. A gente tem de pagar alguma coisa ao diabo, que não vai perder tudo, vai? A gente está pagando desde o pai, que Deus tenha, que dizia que diabo é feito mascate que vende tudo na hora e fica cobrando o resto da vida. Meu pai, pai de Aniceto, nosso pai, era homem sério e temente a Deus, barqueiro de ofício. Pois não é que morreu de bala e de briga de gente que nem conhecia? Foi só apartar, de bom que Deus fez ele. E o demônio meteu a bala que era morte de outro na boca de meu pai, pai dele, Aniceto.

— Ele sabia que você e Aniceto?...

— A gente tem de entender os caminhos do Cão. O pai precisava morrer para que isto se passasse. Mãe ficou pobre, enviuvando. Aniceto tinha onze e eu tinha nove quando fui para a casa de meu tio, mais para baixo no rio.

— Não estou vendo uma coisa, Da Glória. Como é?...

— Já vai perceber tudo, como eu percebi. O demônio trabalha sem pressa. Fiquei quatro anos longe. Entendeu agora? Viu como a gente se desacostumou? Como perdeu a irmandade? Eu? Aniceto?

— Sei, sei.

— Ah, o demônio é demorado. Amigo da perfeição. De primeiro tinha até aquela cerimônia. Aniceto já meio homem, de pistola na cinta, procurando quem tinha disparado a bala do outro. O outro, o que o demônio tirou da frente da bala para ela entrar na boca do pai, esse outro *já* estava morto pelo Aniceto, e enterrado. Mas homem começa na coragem contra homem, não acha não? Aniceto tinha derrubado homem com tiro, na estrada, mas tinha medo de deitar mulher numa cama. Quando ele me contou isso meio com vergonha, não é, de ser donzel — veja só o tinhoso dando voltas — eu achei que a gente estava ficando irmãos outra vez, falando de tudo, sem pejo nem nada. Até quando a gente se tocou, dia que a mãe entregava roupa, parecia mesmo coisa de irmã e irmão, só querendo saber do outro como é que era feito um homem, como é que era uma mulher. Viu bem como tudo foi se passando?

Mariana balançou a cabeça, ouvindo, zonza, a Da Glória que falava, os olhos de mato verde lanhado de sol:

— Juro que foi medonho o susto daquele dia quando a gente nem estava fazendo nada um com o corpo do outro e de chofre a gente entrou num cheiro forte de flor dentro da noitinha que caía na beira do rio. Foi uma tontura de fim de mundo e a tampa do mundéu do Cão fechando em cima do Aniceto e de mim. Aquele cheiro forte de flor nunca mais desentranhou da gente. Você sabia que tem flor que fede a enxofre?

Antes de ir em visita à sua casa, Jacinto se postava em paciente fila diante de um telefone público para saber do pai ou da mãe se estava tudo em paz nos arredores. Dizia qualquer nome estranho e essa própria estranheza de nome tornava claro quem falava.

— É dona Adelaide? — dizia Jacinto. — Aqui é Altamirando da Marcenaria. As cadeiras estão consertadas. A senhora manda apanhar?

A resposta afirmativa era o sinal de que ele podia ir. O velho Frederico tendia mais ao alarma e como a rua do Bispo, com o tráfego do túnel Santa Bárbara e as obras do túnel Rebouças, ficava cada vez mais movimentada, enxergava perigos em toda parte.

— Não manda o bombeiro ver a bica hoje não, seu Genésio. Nós vamos sair e a empregada está de folga.

Jacinto desligava, com um suspiro, esperando que da próxima vez atendesse a mãe, e esperando, sobretudo, espaçar muito suas visitas à casa dos pais dentro de pouco tempo. Ele era agora, depois da morte do irmão, uma tal fonte de aflição para Adelaide e Frederico, que sabia que os dois se conformariam com sua ausência. Logo que ampliasse o número de aparelhos com que contava o movimento, nem ele nem seus companheiros necessitariam mais de suas casas como ponto de apoio. E assim teria de ser, doravante. À medida que recuava um pouco no tempo e adquiria seu contorno definitivo, a morte de Mansinho cada vez mais parecia à de um irmão menor. Era de quase dez anos a diferença de idade, mas, depois de morto, Mansinho surgia na sua lembrança como o caçula. Isto não significava menos e sim mais ternura. Até mesmo a acusação meio absurda que se fazia Jacinto de não haver protegido o irmão como devia, não representava nenhuma ideia de superioridade. Mansinho tivera um direito à vida diferente, é o que

Jacinto achava, um direito claro e nítido, que incluía sua despreocupação com as consequências do que fazia. Era amado pelas mulheres e amava a revolução com o mesmo ar de quem nasceu para viver a vida que vivia, de quem não tinha de se preparar para fazer nada do que fazia. Gente assim precisa de alguma espécie de anjo da guarda. Mas quem diz que ele aceitava os anjos que lhe eram propostos? Mansinho vivia trocando de anjo, pensava Jacinto sorrindo para dentro, como se existisse uma quantidade inesgotável deles, como se o normal de qualquer porta fosse a existência de um anjo entre os batentes.

Andando, aquele dia, ao longo do canal do Rio Comprido para chegar à sua casa, Jacinto reparou mais uma vez que, sempre que dela se aproximava, pensava em alguma coisa que tivesse ligação com portas e batentes. O melhor lugar, no sótão, para guardar o dinheiro que lá deixara Mansinho tinha parecido a Jacinto ser o assoalho por baixo da porta. Trabalhara sozinho, com afinco, no levantamento das duas tábuas, depois de tirar a porta dos gonzos, e raspara bem o pó por baixo das tábuas para poder acondicionar uma pequena fortuna em notas: vinte milhões de cruzeiros de assaltos e cinco mil dólares.

Ao ver que havia feira na praça da Estrela, Jacinto comprou uma sacola e foi em busca de uma abóbora de bom tamanho e de legumes que escolheu a capricho: três molhos de espinafre, três de aipo, dois pés de alface. Depois ainda vagou um pouco pela feira, aspirando, nas barracas, o cheiro das últimas tangerinas e dos primeiros abacaxis, escutando a algazarra alegre de feirantes portugueses e mulatos que ofereciam às mulheres gomos de laranja seleta para que vissem como estavam doces ou cortavam talhadas de melancia para abrandar a sede dos fregueses que inspecionavam as caixas de figos. Um crioulo gigantesco, o pescoço adornado de réstes de cebola como um havaiano, fazia prestidigitação com batatas-da-terra. As cores, o sol enfiando espadas pela lona das barracas, o negro de braços para cima aparando as batatas: Jacinto estacou sentindo o quadro que crescia ao seu redor, ele participante do quadro, o povo na feira livre vivendo a Primeira Missa que Mansinho lhe mostrara trancada num cofre e que um dia, vingando Mansinho, ele retiraria do cofre para erguer como um estandarte à frente do povo em revolta nas ruas do Rio. Jacinto imóvel cerrou os olhos para anular por enquanto, para adiar a embriaguez, impedir que viesse cedo demais.

Foi tomando, lento, o rumo de casa, temeroso de que Adelaide estranhasse o tempo que levava a chegar depois do telefonema, mas por sua vontade ficava ali mais tempo, entre os alabardeiros e os carros de caixote com rodas de rolimã que os moleques alugavam para carregar as compras das madamas, entre os índios e os carrinhos de criança onde mães empurravam bebês alegres e que brincavam com as beterrabas, a bertalha e os repolhos que iam se acumulando à sua volta, entre os cheiros de ervas e de sabonete, as lufadas de perfume, de bodum, do verde vinho da missa selvagem. Quando Jacinto chegou à casa da rua do Bispo, dona Adelaide lhe abriu a porta com um sorriso de surpresa e espanto:

— Veio reforçar as vitaminas do almoço?

Jacinto corou, meio sem jeito:

— Não, mãe, não é bem isto. Eu preciso levar umas coisas daqui e...

Adelaide fez Jacinto entrar, rápido:

— Cuidado, meu filho, não é nada de arma não, eu espero?

— Não, nada de trabuco, é uma encomenda do Mansinho, que eu devo levar em vez de ser apanhada aqui. Depois disto não fica nada, nada na casa que possa interessar a ninguém, juro.

— Vá tomar a bênção a seu pai. Ele está no seu quarto.

— No meu quarto?

— Vendo lá uns livros seus. Sabe que ele quer se mudar do Rio? Mas vá lá que ele lhe fala.

Jacinto sabia que os velhos viviam num poço de tristeza desde a morte de Mansinho, Adelaide cozinhando sem prazer pratos que Frederico comia sem saber o que fossem, os dois, entre as garfadas, perdendo-se na contemplação do retrato de Mansinho que haviam colocado sobre o aparador. Falou da soleira da porta do quarto, bem natural, para se anunciar:

— Oi, pai, tudo correto?

Mesmo assim Frederico voltou-se brusco, fechando o livro que lia, cara espantada, e Jacinto viu com um aperto de coração como estava magro e desfeito.

— Assustei você, pai?

— Bem... Você entrou assim tão furtivo. Veio almoçar?

— Não, pai, hoje não. Tenho o que fazer, agora de manhã. Outro dia. Você estava lendo?

— Não, olhando umas coisas.

Jacinto viu que era o seu velho Atlas do colégio que o pai examinava.

— Péssimos esses mapas. Dos mais de mil afluentes do Amazonas aqui não figuram cinquenta. Mal se compreende, diante de uma carta assim incompleta, a exclamação de Avé-Lallemant.

Só que a alegria tinha fugido da voz do velho. Mesmo o que ele dizia agora sobre o Amazonas soava como uma usada gravação das suas afirmativas de há tão pouco tempo.

— A mãe disse que você está com vontade de se mudar?

— E você vem conosco, Jacinto. Estou hesitando entre Santarém, na esquina do Tapajós, e Manaus, na esquina do rio Negro. Você vem conosco.

Era tão mecânico e irreal o tom do velho que Jacinto se limitou a responder:

— Claro, pai, vamos sim.

Depois subiu ao sótão, carregando a sacola das compras. Ia abrir na abóbora uma fenda por onde enfiar os maços de notas. Fazendo o mínimo barulho possível, retirou dos gonzos a folha da porta que lhe interessava e pôs-se em seguida a levantar a primeira tábua, desprendendo-a dos lados com um canivete para depois levantá-la com uma chave de parafuso. Praticamente não fazia ruído nenhum quando soou na casa o grito estrangulado, o mugido de angústia de dona Adelaide abafando o ruído seco da porta da frente arrombada pelo golpe conjunto de dois homens. Eram os mesmos da visita anterior. Conheciam a casa e tomaram o rumo do sótão. Jacinto tentou num frenesi recolocar a porta no lugar mas ela lhe escapou das mãos, rolou a escada ao encontro dos invasores que ao verem o rapaz armado de canivete e chave de parafuso atiraram. Jacinto recuou, ferido, buscando onde se esconder, onde se acobertar e como os homens viessem subindo e atirando precipitou-se para a janela, passou uma perna pelo peitoril e foi praticamente empurrado ao espaço, pelo impacto das balas calibre 45 que lhe entraram pela cara, pelo ombro, pelos rins, até que

Jacinto, seguro pelas mãos que desmaiavam na ponta dos braços, escorreu lentamente pela parede e foi se estatelar morto no quintal, não longe do pé de araçá.

Quando Mariana, meio desesperada, ouviu um mundéu enorme fechando em cima do Chapadão, pressentiu a salvação em cinco letras cabalísticas, enunciadas por um jovem e simpático engenheiro que chegou barbudo, tisnado de sol, com sólidas botas de elástico e mochila às costas.

— Eu sou do D.N.P.V.N.

Mariana, Gil e Aniceto esperaram explicações:

— Departamento Nacional de Portos e Vias Navegáveis — disse o homem. — Vamos fazer a Interligação das Bacias do Amazonas e do Prata. Não existe nenhuma razão válida para não se ir de Belém do Pará a Buenos Aires estirado numa espreguiçadeira no convés dum navio. O Brasil inteiro é uma região como esta aqui, de Águas Emendadas.

Só depois da fanfarra desse introito é que o rapaz pensou em se descobrir como homem por trás do seu entusiasmo:

— Luciano da Câmara Vasconcelos, engenheiro, membro da Comissão de Estudos de Ligação dos Rios Aguapeí, da bacia do Paraguai, ao Alegre, da bacia do Amazonas, separados pelo divisor da serra do Aguapeí, que os senhores talvez conheçam.

Não, ninguém ali conhecia, e, enquanto despia dos ombros as correias da mochila, para pousá-la no chão, Luciano da Câmara Vasconcelos, que há 48 horas andava sozinho pelo Chapadão, e que evidentemente não podia passar tanto tempo sem falar na Interligação das Bacias, explicou:

— Há outras possibilidades de entrelaçamento das bacias, como as ligações Guaporé-Juruena, São Lourenço-Rio das Garças ou a Taquari-Araguaia e provavelmente um dia nós as realizaremos todas. A ligação que escolhemos como base, conhecida como Jauru-Guaporé...

E por aí, até finalizar:

— Qualquer menino abriria o canal entre os dois rios.

Tudo parecia indicar que, sem essas explicações preliminares, o engenheiro Luciano da Câmara Vasconcelos não toparia sequer entrar no rancho, para conhecer a Da Glória, tomar café, e aceitar o convite que lhe fez Gil de ali pernoitar. Desde a primeira catadupa de palavras do visitante, Mariana sentiu uma emoção profunda, inexplicável, e no estranho ambiente que se formara ali nos últimos tempos, apelou para os vagos conhecimentos que tinha de metempsicose, reencarnação, carma. Teria conhecido o engenheiro em prévia existência e com ele talvez abrira canais no vale do Nilo para fertilizar o Egito de Aknaton? Ou mais cedo ainda, entre os sumérios, teria visto Luciano calculando numa lousa de escrita cuneiforme os primeiros trabalhos hidrográficos do homem no rio Eufrates? Mas essa fuga romântica de Mariana querendo inserir sua vontade de chorar num remoto passado que lhe ficara de leituras feitas a esmo foi prontamente dissipada por Aniceto, que balançou com melancolia a cabeça e observou:

— Virgem! Esse homem só me lembra seu Frederico, com o rio Amazonas dele.

Mariana abandonou silenciosamente a sala grande e foi ao quarto. Dois dias antes chegara ao rancho, vinda de

Cuiabá num jornal, a notícia, sob a forma local de "morte do irmão do assaltante do banco da rua Frei Mariano, em Corumbá". Ali se dizia que Jacinto Pereira "resistiu à prisão e suicidou-se, atirando-se pela janela do primeiro andar de sua casa, no Rio". Mariana tinha chorado ao ler a notícia — e imaginado que era tudo. Vagamente se prometia visitar Adelaide e Frederico, no Rio longínquo. A observação de Aniceto empurrou-a de chofre para dentro da própria casa da rua do Bispo. Até então, desde a morte de Mansinho, limitava-se no máximo a passar em pensamento pela porta da rua, um pensamento pensado num ônibus veloz em que estivesse, cara virada para o outro lado da rua, temerosa de sentir o silêncio que sem dúvida cercava dona Adelaide e seu Frederico, meio mortos em Corumbá, liquidados de vez à porta do sótão da casa. Via seu Frederico balançando a cadeira no vácuo do mundo, enquanto outros como Luciano cuidavam do seu rio, e via dona Adelaide... Como a via? Fazendo o quê?

Impelindo bem de leve o berço ainda vazio que Antônio Pareci fizera de paratudo e lhe dera de presente, Mariana deixou as lágrimas correrem à vontade pelo rosto: era como se movesse assim de leve a cadeira de balanço de seu Frederico adormecido enquanto em voz baixa falava com dona Adelaide sobre Mansinho e Jacinto e sobre o decente mundo que tinham começado a construir e no qual surgiriam como irmãos de lenda, como torres gêmeas.

"A senhora não está me escutando, dona Adelaide? A senhora está rezando pelos seus mortos como quem reza apenas por defuntos? E reza como antes, sem atentar para o sentido que a tragédia revela nas palavras? Em que, em que a senhora pensa quando fala no bendito fruto do vosso ventre, em quem?"

Mariana passou no rosto molhado as mãos, enxugou-as na saia. Laurinha estaria lá, com dona Adelaide? Quisera Deus. Mas o fato é que ela ia também. E ia tratar disto já. Na sala, Da Glória costurava num canto e os homens comiam pão e caça fria. Luciano e Aniceto tomavam a limonada que Makoirocê tinha trazido e Gil servia um cálice de pinga. Luciano empurrava o que comia a goles de limonada, para poder continuar falando e falando, ouvido por Gil com fascinada atenção.

— E a gente é que precisa arregaçar as mangas e fazer o trabalho. Os americanos só têm dado palpite errado, como o camarada do Hudson Institute. O lago dele não resolve nada e ia acabar esgotado no Pantanal. Os americanos têm é de deixar a gente manipular as explosões atômicas para construir as barragens e abrir o canal, isto sim.

Só quando sua voz começou a se engrolar de puro cansaço é que o engenheiro concordou em ser levado por Mariana ao quarto onde ia dormir. Quando Mariana voltou à sala, Gil tinha armado cachaça e cinzeiro perto da máquina de escrever e começava a bater no velho ritmo.

— É o livro? — perguntou Mariana — Ou é outro livro?

— Outro livro, mas agora é *o* livro. As primeiras notas para o livro. O que falou Luciano. Vou gravar Luciano. Esse engenheiro é uma mina, Mariana, um possesso. E sabe que é meu leitor? Que conhece todos os meus romances? Ah, se eu pudesse retê-lo aqui! Me ajuda, Mariana.

— Quando é que ele vai embora?

— Amanhã, depois de amanhã no máximo. Tem de estar em Cuiabá dentro de uma semana, para regressar ao Rio com o resto da turma do D.N.P.V.N. Acabados os trabalhos ele resolveu andar por este mundo do Chapadão. Os outros foram caçar no Pantanal, mas voltam ao Rio no mesmo aparelho.

— Então está perfeito. Nós voltamos com ele.

Gil olhou Mariana, incrédulo.

— Voltar?

— Pois você não quer ficar em contato com o Luciano? Eu quero ficar em contato com Laurinha, com dona Adelaide, com o que sobrou do nosso grupo.

— Mas... Precisamos aguardar mais tempo. Agora é tolice, Mariana, voltar e ser preso.

— Também não é assim não. A gente viaja com o Luciano, se mete no grupo em que ele viaja, chega ao Rio como quem não quer nada. Afinal de contas isto é Brasil.

Gil balançou a cabeça.

— Negativo, Mariana.

E Mariana, doce e firme:

— Positivo, Gil, eu vou. E não vejo o que você vai ficar fazendo aqui, francamente.

— Mariana, eu dependo agora de uma pequena viagem, a estes rios do Luciano, e de mais alguns meses de trabalho no Chapadão. Fica, meu bem.

— Meu amor — disse Mariana —, faz a viagem aos teus rios e vem escrever ao meu lado, ao lado da nossa família de companheiros, no Rio.

— Amanhã a gente torna a conversar. Vamos dormir.

Mas quando Mariana afinal adormeceu ao lado do berço ouvia ainda na sala a máquina de Gil martelada como outrora no pequeno apartamento da avenida Niemeyer.

Cedo pela manhã, no dia seguinte, Mariana ouviu no terreiro diante do rancho a voz de Gil e Luciano, e quando foi lá fora encontrou os dois, mais Aniceto, de pé, cercando um grande mapa do Brasil, com os rios e suas várias ligações projetadas. O contorno do mapa e o curso dos rios estavam escavados no chão a facão, a vala do contorno assinalada por coquinhos de carandá, o rego dos rios pingando com os restos de tinta azul sobrada da pintura do rancho. Antônio Pareci tinha serrado um galho de piúva em tabuinhas e com as tabuinhas Luciano marcara barragens e canais.

— A partir do Sul — dizia Luciano — o Uruguai, que vai para o rio da Prata, integra-se à lagoa dos Patos. O rio Paraná, com o Iguaçu e o Tietê navegáveis, fica ligado a Curitiba e São Paulo. Com as obras de Urubupungá, ilha Solteira, canal de São Simão vai lamber Brasília, e depois liga-se ao Tocantins, ao Araguaia, ao São Francisco, que por sua vez chega a Belo Horizonte. O rio Paraguai se integra no sistema do Paraná e do Araguaia. E a nossa Hidrovia de Contorno, transformando numa só a bacia amazônica e a platina, começa a transformar a América do Sul num país só. No mesmo mês de junho de 1826 em que Bolívar reunia a primeira conferência pan-americana, o deputado Romualdo Antônio de Seixas lamentava na Câmara do Rio que não interligássemos os rios brasileiros.

— Em 1826 — disse Mariana olhando Gil.

— Sim, senhora — disse Luciano.

— E esses rios, Alegre e não sei que outro, que o senhor está querendo ligar agora? Fala-se no plano também desde o ano de 1826?

Luciano sorriu, acanhado:

— Não. Desde muito antes. Aí por 1750. Mas agora sai!

— Sai mesmo? — disse Mariana. — Os trabalhos começaram?

— Estamos realizando os estudos preliminares.

Mariana assentiu com a cabeça, suspirou, e foi cuidar do café. Aniceto se afastou, acompanhando Mariana.

— O Gil me contou que você não quer ir na tal região dos rios, Mariana.

— Não quero não, Aniceto, eu quero ir ao encontro da nossa gente, no Rio de Janeiro.

— É também minha tenção, conforme eu disse a ele. Lá a gente volta à vida da gente. Como é que se pode convencer o Gil?

Mariana sorriu:

— Deixa isto comigo, Aniceto.

Mas no dia da partida, quando se levantou ainda no lusco-fusco da madrugada, Mariana encontrou vazio o lugar de Gil no leito. Devia ter saído quando ainda caía a chuva que começara na véspera, saíra assim mesmo, a cavalo pelo tempo ruim, em busca da região das Águas Emendadas onde há séculos um rio do Norte e um rio do Sul esperam alguém que os amarre.

A carta deixada na mesa de cabeceira marcava encontro com Mariana no Rio, dentro de alguns meses. "O Aguapeí e o Alegre vão ser atados pela ficção, meu anjo. É o único jeito. Diga ao editor que pode programar o livro para o ano que vem. Todas as mulheres do livro são variações sobre o mesmo tema. Não deixa que o tema se esqueça de mim." Relendo e relendo a carta, Mariana sentiu vergonha do próprio assombro com que a lia de tal forma se habituara a confiar na servidão de Gil. Traída por dois riachos e um livro. Sentou na beira da cama, carta de Gil na mão, relendo, relendo. E se esperasse no rancho a sua volta? Olhou sua mala, lembrou a partida de Gil do apartamento da avenida Niemeyer, a chegada a Corumbá. Mas no meio das suas dúvidas e da náusea que sentia por si mesma, Mariana viu, ou inventou, ou imaginou, que não estava abandonando Gil, que jamais amaria outro homem (e era com alívio, Deus a perdoasse, que pensava em Mansinho morto e enterrado) e sim que o servia, arrastando-o de volta ao Rio, aos bares, às conversas e a uma perda de tempo mais fecunda de que aquela vida de deuses de pedra da ilha de Páscoa extraviados no Chapadão. Da Glória bateu na porta:

— O café está na mesa.

Quando chegou à sala, vestida para a viagem a Cuiabá, Mariana disse:

— Gil não vem. Foi para a serra do Aguapeí.

Aniceto e Da Glória a olharam com olhos redondos de espanto. Luciano mergulhou a cara na xícara de café. Ele sabe, pensou Mariana. O primeiro rival que afasta Gil de mim.

Dias depois compravam no Aeroporto de Cuiabá as passagens para o Rio, entre a algazarra de vários companheiros de Luciano. Relembravam caça de onça, anta, capivara, quando Mariana viu os olhos de Aniceto fixados num cartaz que falava em outras caçadas. Sobre o retrato dum estudante morto havia a palavra, escrita a tinta, *Faturado*, e uma grande cruz de tinta lhe barrava a cara imberbe. Depois um revolucionário desconhecido, ao lado do carão másculo de Marighella procurado pelo Exército. Depois... depois Joelmir, um velho retrato, fardado de sargento. Cruz na cara. *Faturado*. Mariana estremeceu. Sussurrou a Aniceto:

— Será que eles têm listas aí?... Será que têm nosso nome?

O grupo alegre do D.N.P.V.N. trazia, em matéria de bagagem de mão, um sortimento que parecia destinado a encher o Museu do Índio, a ilustrar um curso de Antropologia, a forrar com peles de tamanduá uma loja de tapetes. Quase todos tinham espingardas de caça, que não podiam viajar na cabina não senhor, nem, muito menos, revólveres, nenhum, nenhum, que loucura era aquela em tempo de terrorismo.

— E o senhor aí, só em bagagem de mão leva quinze quilos. Tem que pagar excesso.

— Espera, meu camarada, vou distribuir o peso pelos outros. Somos da mesma família.

— Este bicho morto não pode seguir.

— Morto não, alto lá! Ou melhor, empalhado, conservado.

— Tenha paciência, mas está fedendo ainda, ô distinto. E para que é que o senhor quer tanto prato de índio?

— Prato de índio? Isto é cerâmica caduveu, cada vez mais rara.

— E este poste, que o senhor quer levar na mão?

— Poste nada, e é leve como uma pluma. É um tripezinho de teodolito.

Mariana, grávida, passou com o respeito geral. Da Glória teria sido mais apalpada do que revistada, não fosse o olhar austero com que Aniceto varou o policial, que a seguir revistou bem Aniceto, sem dúvida, mas que olhou o nome dele sem parecer pensar em nada. E entre aves mal empalhadas, cestos indígenas e galhadas de veados do Pantanal entraram todos no avião. Conversando com Luciano, Aniceto ouviu, ao subir a escada atrás de Mariana e Da Glória, o rapaz do teodolito que dizia sufocando o riso:

— Vocês já entenderam que meu tripé pesa uns quilinhos, não? É a zagaia que eu comprei do zagaieiro em Diamantino.

Aniceto não mais perdeu de vista o comprido embrulho da zagaia que o homem sentado ao lado de Luciano colocou no chão, ao longo da passagem. Da Glória e Mariana sentaram-se lado a lado e ele num assento de fora, paralelo ao do homem da zagaia. Depois, enquanto as turbinas aqueciam, Aniceto afivelou o cinto, recostou-se na poltrona e cerrou os olhos, revendo o retrato de Joelmir, caboclo de boa carnaúba. Depois viu, com uma cruz de tinta e um *Faturado* por cima, os retratos de João, de Mansinho, de Jacinto, do Comandante, e começou a formular mentalmente os termos do recado que ia dar a Eustáquio, a algum deles. No instante em que acabou de formulá-lo sentiu o avião que rodava na pista feito o jaburu tomando impulso para voar ao ninho da árvore do rancho e depois a subida brusca, quase vertical. Aniceto abriu os olhos, desafivelou o cinturão com a mão esquerda enquanto com a direita pegava a zagaia e despedaçava o papel que lhe cobria a lâmina afiada. Zagaia em punho, no meio daquele silêncio dos aviões que decolam, marchou para a cabina de comando. Foi a Da Glória quem primeiro entendeu o que acontecia e que cravou as unhas no braço de Mariana. Um segundo depois, do avião inteiro subia um murmúrio de assombro e de meio pânico. Mariana sentiu o coração feito um pássaro aterrado dentro do peito, cercou instintivamente com os braços o ventre habitado, só vendo ao seu redor nas caras assustadas o reflexo do seu medo, até que viu a de Luciano, a cara de Luciano, pálida, mas que se iluminava num sorriso. Mariana, então, olhou a Da Glória, que também sorria, e sentiu que o coração se aquietava no seu peito e o filho no seu ventre, e que um grande sossego a possuía à medida que o avião descrevia no céu um círculo tranquilo e tomava o rumo do Norte, a direção da ilha de Cuba.

12

Sentindo um vago mal-estar de traição indefinida diante da alegria que medrava dentro dela feito um tufo de planta num penedo, Laurinha voltou várias vezes para orientar o trabalho de recuperação, de exumação da piscina. Com pás de brinquedo as crianças ajudavam e atrapalhavam os operários, pequenos arqueólogos de uma raça enferma procurando na terra algum perdido segredo de saúde. Quando atrapalhavam demais, Laurinha lhes mostrava como podiam tirar terra mais longe e um dia riu de verdade, riu de prazer e gosto quando um dos meninos, com grande alarido, convocou todos a contemplar sua descoberta: era o sapo de bronze que esguichava água para dentro da piscina. Laurinha reviu o sapo como um amigo, o reluzente sapo de outros tempos, agora coberto de barro. Tomou o menino nos braços e juntos foram buscar água num balde para lavar o sapo. A criançada se uniu em torno de Laurinha, que sabia onde encontrar, do outro lado, a tartaruga de bronze que também cuspia água dentro da piscina, e o jacaré do outro canto e o golfinho do outro. Os próprios trabalhadores pegaram o contágio daquela aventura diferente no meio das crianças, da moça linda, da senhora de cabelos grisalhos que empurrava carrinhos de mãos cheios de terra, e do entusiasmo com que crianças e enfermeiras saudavam o surgimento das paredes de azulejos quebrados aqui e ali, mas tantos ainda perfeitos e que iam sendo esfregados e decifrados com êxtase pelas crianças que recebiam como presentes de algum misterioso ser subterrâneo os cavalos-marinhos, as conchas, os caramujos azuis sobre os ladrilhos brancos. Para eles a ligação com o ser subterrâneo era sem dúvida Laurinha. Quando a piscina estava toda descoberta e os operários tratavam de desobstruir os canos que a ligavam ao poço, Laurinha não voltou mais. Era muito grande o perigo, a cilada. Lá iria, sem dúvida, com naturalidade, quando tudo na casa tivesse voltado ao seu normal, abatida a exaltação, a piscina naturalmente usada. Antes, não. Tanto assim que se preparou para o inevitável, a visita que Matilde lhe faria para convidá-la à festa da estreia. E recusar, como pretendia, recusou, ao chegar Matilde à chácara de táxi, para levá-la, dia de domingo. Mas dona Maria, as rosas da face desmaiadas no centro em manchas brancas, disse a Matilde que a menina ia sim e que ela, Maria, ia também com seu vestido de gala e seu pano de Alcobaça nos ombros.

    Matilde fizera cobrir a piscina com um trançado de varas de bambu entretecido de flores, preso de um lado a finas cordas que as crianças seguravam na varanda. Quando Laurinha assomou ao portão foi como se um sopro de vento erguesse o xale de flores, que tombou para o outro lado da piscina, mostrando no chão o avesso também alastrado de flores, só que essas molhadas da água e que se deitaram no chão como um jardim feito na hora. E surgiu plácida, da pálpebra florida, a mirada azul da casa, a piscina que expirara no longo sono de morte seu pecado.

Plácida um breve instante, porque em suas roupas de banho as crianças e as enfermeiras em pouco batizavam as águas renascidas, as águas lustrais, as águas, pensou Laurinha, que muito tinham penado no exílio da terra para passarem de águas que nutriam a ventura dos sãos a águas que iam operar os milagres que Matilde não sabia fazer sozinha: de água de júbilo a águas de amor, irmãs das lágrimas que escorriam de seu rosto agora, também pela primeira vez, que vinham na esteira do riso que tinha rido outro dia. Crianças molhadas abraçaram-se a Laurinha, às suas pernas, buscando seu colo, e ela se ajoelhou no chão entre elas para que a beijassem e ela as beijasse, para que misturassem bem as águas da piscina e suas lágrimas tranquilas, um grão de sal para o batismo da água doce. Matilde a foi levando pelo braço para a varanda.

— Você precisa ficar conosco, meu anjo — disse Matilde.

Laurinha sorriu, naquele momento de reconciliação, mas a si mesma, com doçura, uma astuta doçura, disse que não, que não ia tombar na cilada da piedade. Acabara de encontrar o caminho de sua vida, o único, o caminho que a levava de volta a João. Não podia cair na armadilha da compaixão. No mundo são muito mais numerosos os sãos, e sua tarefa, a tarefa de João, era salvar os sãos, para que morressem com saúde.

— Ah — disse Matilde — , fiz uma extravagância para mim e para você. Comprei uma vitrola para inaugurar a piscina com música.

Laurinha ficou só na varanda, num canto, escondida, o rosto nas mãos e as lágrimas correndo, correndo. Depois, aos poucos, levantou o rosto, deixou que se enxugassem os olhos e fitou seu edifício, buscando sua janela, seu apartamento, o apartamento para onde ia voltar. Todas as janelas estavam abertas, com pessoas que haviam acompanhado os trabalhos e que agora assistiam ao primeiro domingo da piscina. Todas, menos uma, trancada, escura. Laurinha a olhou com imenso amor, e, antes que atroasse os ares a alegria da música, disse em voz baixa à sua janela, mãos abertas na prece de quem encontrou aquilo a que rezava:

— *Aunque sea de noche.*

A música apenas começava quando Laurinha, antes que voltasse Matilde e que as crianças se fatigassem do banho de estreia, saiu quieta, pelo lado da garagem, andando no rumo do seu edifício. De rosto enxuto e passo firme. À medida que avançava para o edifício despedia-se de uma Laurinha antiga, que ela em breve não entenderia mais. O zelador, sorridente e compungido ao mesmo tempo, veio cumprimentá-la, vagamente dando-lhe pêsames e desejando boas-vindas. Dentro do apartamento foi direto à janela e abriu-a de par em par, segura não tanto da vista das crianças suas amigas como da paz reencontrada. Precisava cuidar do apartamento para alugá-lo, escapando à segunda tentação da casa embaixo, e para terminar rapidamente a letra V: *Ven muerte tan escondida* — *Verde que te quiero verde*, e a letra Y: *Yo os quiero confessar, Don Juan, primero* — *Yo soy ardiente, yo soy morena.*

Só uma missão, uma tarefa, enchia Laurinha de desânimo. Não tinha ido ao enterro de Jacinto e não conseguira juntar coragem suficiente para visitar Adelaide e Frederico, que deviam estar morrendo aos poucos pelos cantos da casa da rua do Bispo, pelo sótão ermo. Ao morrer Mansinho, que tinha quarto maior, Adelaide passara Jacinto para o quarto do irmão mais velho e fizera um quarto de hóspedes onde antes dormia o caçula. Que uso teriam agora os dois quartos vazios? Laurinha bem podia passar um tempo lá, fazendo companhia aos velhos, quem sabe terminando o índice do livro de João, detendo um pouco o lento derreter daquelas duas velas acesas à memória de dois filhos mortos. Ia forçar-se a isto. Não ficava muito tempo, só enquanto acabava o livro. Depois retomaria os fios da vida de João, os fios que antes fiara tão mal, de medo de perder João. Para isto precisava do telefone, que jogara fora, do amigo de Jacinto, e poderia obtê-lo do Murta ou de Adelaide e Frederico. Preferia não ter de falar com os velhos em nada que lembrasse a morte dos filhos, e, além disto, devia à sua nova vida a obrigação de ingressar nela sem ódio, isto é, encontrando e acolhendo de novo o Murta.

Dona Maria recebera a visita à Flora do Freixo de um mendigo, ou coisa semelhante, que procurava Laurinha e que se sentara no chão, mascando uma avenca enquanto esperava, uma desprotegida avenca em seu torrão de terra, pronta a ser colocada em vaso. Dona Maria se encolerizara e lhe falara áspera, brandindo um cabo de vassoura.

— Ele tinha um colar no pescoço — disse Laurinha —, com um medalhão de Iemanjá?

— Que eu visse, não. Não tinha nada. Não sei como é que um imundo daqueles conhecia você. Espero que não me ponha mais os pés aqui, para comer as plantas.

Felizmente não estava dona Maria quando o Murta voltou, com o uniforme de zuarte azul do hospital de alienados do Engenho de Dentro, sem barba, cabelo aparado rente. Entrou com ele no telheiro das mudas uma mulherzinha encardida, morena escura. Sentou-se no chão a um canto, cachimbo na boca. Laurinha estava preparada para ouvir, e perdoar, o relato do que acontecera na *Faceira*, mas viu com certo alívio que o Murta não tocava no assunto:

— Eu estou aguardando, entre os doidos, disfarçado em doido, o instante de me revelar como o primeiro cidadão latino-americano de verdade, com meu verdadeiro nome de Murta-Martinez.

— Você é bem tratado lá no... no hospital?

— No hospício? Muito bem. Passei os testes de tortura na Polícia Civil e no Cenimar. Eles tentaram me separar, pela eletricidade, do Martinez, que encarnou em mim.

A mulher tirou o cachimbo da boca, cuspiu para o lado e resmungou, rancorosa:

— Comeu meu homem, teve de ficar com a mulher dele.

— Esta é Carmencita Martinez-Murta minha mulher pela metade.

Carmencita cuspiu de novo:

— Ele é que é marido pela metade. Já que tinha de comer o pobrezinho devia ter comido o que devia.

— Sua mulher — disse Laurinha —, a Carmencita, mora com você?

Carmencita tinha o ar absorto, fumando o cachimbo, e Murta falou em voz baixa a Laurinha:

— Eu vim aqui pedir perdão a você. E a João, à memória de João.

Laurinha ia apressadamente dizer que estava tudo perdoado, que ela iniciara vida nova, mas o Murta prosseguia:

— Foi difícil engolir. Então eu fingi que estava comendo você, que era você que os índios serviam. Assim foi fácil passar o Martinez pela garganta. Depois veio o deslumbramento eucarístico, a encarnação. Fiquei cidadão das duas Américas. Mas eu queria pedir perdão porque de certa forma mastiguei você.

Murta apanhou sobre a mesa um talo de dália e se pôs a mascá-lo. Que havia de verdade e de loucura em tudo aquilo, no que dizia o Murta, no que dizia Carmencita? Não fosse por medo de alguma incompreensão de Carmencita, Laurinha teria afagado a cabeça dele:

— Você foi forçado a comer... carne humana?

— Era difícil recusar, mas em parte senti meu destino se realizando. Eu não aguentava mais os símbolos. O pior é que eu não tinha uma câmara! Nem uma kodak!

Que dizer, meu Deus, que dizer?

— Mas então no hospício te tratam direito, não é, te deixam passear e tudo?

— Deixam, deixam, eu sou um doido acomodado. Quem ainda não conseguiu sair nem uma vez é o Paulino.

— Paulino?...

— Sim, desde que foi preso aquela noite no Don Juan's. Primeiro porque não se sabia exatamente por que tinha sido preso. Depois porque, debaixo de tortura, disse sim a uma porção de perguntas.

— Mas por que está no hospício?

Murta cuspiu o talo da dália.

— Ele prefere. Sente-se protegido. Cismou que o mesmo Mornay que executou Trotski está aqui, com a mesma picareta de alpinismo, para lhe abrir a cabeça.

Pobre Paulino, pobre todo o mundo, pensou Laurinha, revendo, como se viesse do fundo passado, a noite, ainda tão recente, em que estavam todos juntos no bar, João vivo, e Mansinho, e Geraldino, e mais Mariana, Aniceto, Paulino na periferia, fora de contexto, assaltando o Palácio de Inverno, arengando o povo na praça Vermelha. Era preciso doçura com todos esses, com ela própria, mas era preciso passar sem mais perda de tempo para os menos tocados pela ideia de uma revolução cujas granadas acabavam por explodir no bolso de cada um.

— Pode-se visitar Paulino? — disse Laurinha.

— Pode-se. Aliás, tem lá um irmão e irmã dele que vão todos os dias de visita.

— E você?

— Venha me visitar que eu te recebo. A dificuldade é que eu perdi a família que tinha, depois de me tornar o primeiro cidadão da América Latina. Quando você for lá, não esqueça. Pergunte por Murta-Martinez.

Laurinha bateu à porta e foi Adelaide quem veio abrir, mas não Adelaide arada de sofrimento, lavrada de dor, como a que encontrara no cemitério, quando se enterrava Mansinho e quando Jacinto contraía o frio da morte que exalavam os anjos de pedra. Vestido branco estampado de lilás, cabelos grisalhos bem alisados em bandós, cordão de ouro no pescoço, Adelaide sorria rejuvenescida, terna, abrindo os braços.

— Minha querida Laurinha!

Trêmula, atônita, mas sobretudo feliz Laurinha se precipitou nos braços que lhe eram abertos. Ela, que pretendia consolar e enxugar lágrimas, sentiu o corpo sacudido de soluços, como lhe acontecera à beira da piscina, e foi Adelaide quem a susteve, e consolou:

— Chora, meu anjo, chorar faz bem. Isto. Lágrima guardada fica azeda, perde o sal e o calor.

Ah, que bom na hora do desespero ter alguém que nos deixe desesperar, pensou Laurinha, que não nos mande ser fortes, que nos acolha em nosso desalento. Agora se sentia filha de verdade, irmã daquele Mansinho estroina, do doce Jacinto. Dona Adelaide sentou-se no sofá e ia sentar Laurinha ao seu lado, mas Laurinha deixou-se escorregar até o tapete e pôs a cabeça nos joelhos de dona Adelaide, chorando livremente, baixinho. Não parou de chorar e nem sentiu constrangimento nenhum quando entrou o velho Frederico, ele também valoroso, empertigado. Estendeu-lhe a mão do chão, sorrindo entre as lágrimas, e Frederico antes de sentar no sofá ao lado de Adelaide, pôs um joelho no chão para beijar a fronte de Laurinha. Dona Adelaide acariciava os cabelos de Laurinha:

— Isto, meu bem, chora o que quiser que eu sei que suas lágrimas vão ser enxutas, como as nossas.

— Eles continuam vivendo conosco, minha filha — disse Frederico. — Teu João também. Só morreram para os que não sabem de nada. Tinha graça que desaparecesse gente moça assim.

— Me dá teu lenço aí, Frederico — disse Adelaide. — Assoa o nariz, minha filha.

Laurinha sorriu, obediente, assoando o nariz, e relanceou os olhos pela sala. No aparador um antigo retrato de Mansinho, ao fazer dezoito anos, de pé na frente da casa, ao lado da motocicleta que acabava de ganhar. Na parede um desenho e colagem de Jacinto que escapara à devassa, uma abstração de passeata de que ele se orgulhava muito, desordenadas pernas de moços e moças, calça Lee e minissaia sobre asfalto e sobre mosaico do Rio. Grudados em torno um cone de sorvete, papel de sanduíche, tampinha de coca-cola. Laurinha sentia ao mesmo tempo uma exaltação e uma vergonha que lhe secavam as lágrimas no rosto afogueado. Aquele pobre casal golpeado por um destino vil sabia que não estavam mortos, os mortos. E ela levara tanto tempo a descobrir.

— Eu devia ter vindo aqui antes, dona Adelaide — disse Laurinha. — Fui muito covarde. Tinha medo de aumentar meu sofrimento com o seu. Fugi de tudo, de todos. Tinha medo dos seus mortos, por causa do meu.

— Ninguém desaparece assim — disse Frederico. — Ainda mais os muito moços. Não é natural.

Laurinha agora parecia ouvir João:

— É verdade, o mistério da morte dos jovens. João até lembrava que nos tempos em que havia sacrifícios os deuses só atendiam quando a gente sacrificava os primeiros frutos da lavoura e das pastagens, as primeiras maçãs, os cordeirinhos de leite. Assim é que dava safra maior, rebanho maior.

Adelaide olhou o marido:

— Está vendo, Frederico? Dona Deolinda é que vai gostar de ouvir isto, e o velho Nilo.

— A Laurinha tem de ir lá conosco. Isto nem padece dúvida.

Laurinha olhou Adelaide, interrogativa:

— É uma vizinha nossa, a Deolinda. Há que tempo ela queria nos levar ao Nilo, mas só através do sofrimento é que acabamos por chegar a ele. Assim são os caminhos de Deus.

— Mas o que é — disse Laurinha —, como foi?

— Você não vê como Deolinda e o Nilo nos ressuscitaram? Ah, minha filha, que bênção, que ventura. A vozinha do Jacinto conversando e conversando com a gente, perguntando coisas ao pai. O pigarro do Mansinho, se lembra? Até aquela risada galhofeira que era a sua aqui na Terra, só que agora ele ri em surdina, mais suave, para mexer comigo. Até pergunta pelas namoradas, você vai ver. Você vindo a gente chama o João e você conversa com ele à vontade.

Laurinha levantou do tapete, sentou-se diante dos velhos, numa poltrona:

— Não estou entendendo bem, dona Adelaide.

— Muito fácil, meu bem, Deolinda é médium, esta nossa vizinha. E o Nilo é o mestre e guia dela, um vidente de grande força. Eles fizeram uma sessão aqui mesmo, dentro desta sala, a primeira, porque nem eu nem o Frederico tínhamos ânimo de sair.

Laurinha formulava agora, na sua cabeça, a pergunta que queria fazer a Adelaide sobre o telefone ou endereço de João Batista. Mas Adelaide prosseguia:

— É feito uma comunhão, minha filha. Aquele silêncio ao redor da mesa, depois alguém que se sobressalta como se recebesse uma corrente forte: o espírito que baixou. Afinal a voz familiar. Ah, Laurinha, um milagre, um milagre! Tudo tão simples, tão certo. Como é que a gente pode viver ignorando isto, fugindo da bondade infinita de Deus? Ah, como Ele é bom! A gente chora, pensa que a morte dos entes queridos é um castigo, um fim. Que nada. É um lembrete que os vivos têm da vida eterna. Os mortos vão para o outro lado do rio, para o seio de Deus, e de lá estendem a mão à gente, estendem a mão por cima da mesa do Nilo. Viver é cumprir pena, isto é que a gente aprende. Morte é vida. Tanto a gente cumpre pena neste mundo que quem apressa a morte ainda padece no Além, antes de repousar definitivo. É o castigo do preso que foge antes de perfazer a sentença do juiz. Outro dia a filha dum suicida estava lá na Deolinda e o Nilo. Pois essa pobre alma penada fez tremer e suar tanto o médium que servia de cavalo a ele que você precisava ver. Foi preciso interromper a sessão. Meu Jacinto, não. A Polícia andou dizendo que ele tinha se matado, mas ele até ri, aquele riso bom de menino, quando se fala nisto. Às vezes é muito melhor ser libertado da vida bem cedo, como o Jacinto porque...

Laurinha não escutava mais. Adelaide que falava, e Frederico que assentia com a cabeça, confirmando o que ela dizia, afastavam-se e afastavam-se, até se transformarem numa miniatura de si mesmos, perdidos em funda distância, e essa lonjura dava a Laurinha a medida da solidão que a envolvia. Ela falou com doçura por cima do deserto:

— E o endereço, dona Adelaide?

— O endereço do Nilo?

— Ah, eu nem tinha lhe falado direito. Do João Batista, o colega do Jacinto que veio me ver há pouco tempo, e...

— Ah, sim, eu guardei o endereço dele lá entre uns chapéus velhos. Depois eu encontro.

— Desculpe a insistência, dona Adelaide, mas eu preciso tanto falar com ele. Será que a senhora podia?...

— Posso, meu bem, vamos ver. Depois você vem comigo e com Frederico conhecer a Deolinda. Mais tarde tem sessão. Você vem, para conversar com João, ouvir os conselhos dele.

— Hoje não, dona Adelaide. Mas passo aqui e combinamos.

Laurinha guardou de cor o endereço de João Batista, que dona Adelaide tirou da fita de um chapéu. Depois, beijou os dois velhos e saiu. Podia tentar agora mesmo encontrar o rapaz. Não era muito longe. Ia a pé, para sentir definitivamente ao seu redor a solidão. Deteve-se ainda um instante à luz de um lampião e contemplou o anular da sua mão direita, onde o gesso retirado deixara uma branca aliança que o passar dos dias diluía. No ar noturno viu surgir diante dos olhos, pela última vez, uma barroca estrutura de balcões avarandados que se debruçavam sobre um pátio: as grades de ferro cediam, as pedras se desconjuntavam, ruíam os telhados em silêncio e em pouco a jaula do pesadelo era um punhado de fino pó que o vento carregava, deixando apenas um deserto escuro e limpo. Laurinha tinha explorado seu último caminho, só lhe restando agora o caminho da absoluta liberdade em que se movia — aquela liberdade que ninguém escolhe, que ninguém prefere, que chega para alguns como chega, para todos, a noite.

Rio, 20 de maio de 1970.

ESTUDO CRÍTICO

Callado e a "vocação empenhada" do romance brasileiro[1]

Ligia Chiappini
Crítica literária

Embora se alimente de episódios quase coetâneos, muitos deles tratados em reportagens do autor, a ficção de Antonio Callado transcende o fato para sondar a verdade, por uma interpretação ousada, irreverente e atual. E consegue tratar de forma nova um velho problema da literatura brasileira: sua "vocação empenhada",[2] para usar a expressão consagrada de Antonio Candido. Uma ficção que pretende servir ao conhecimento e à descoberta do país. Mas o resgate dessa tradição do romance empenhado ou engajado se realiza aqui com um refinamento que não compromete a comunicação e com um caráter documental que não perde de vista a complexidade da vida e da literatura. Busca difícil, que termina dando numa obra desigual, mas, por isso mesmo, interessante e rica.

---

[1] Este texto é a adaptação do Capítulo IV do livro de Ligia Chiappini, intitulado *Antonio Callado e os longes da pátria* (São Paulo: Expressão Popular, 2010).
[2] Essa expressão, utilizada para caracterizar o romance brasileiro a partir do Romantismo, é de Antonio Candido em seu livro clássico *Formação da literatura brasileira*, de 1959.

O jornalismo e suas viagens proporcionam ao escritor experiências das mais cosmopolitas às mais regionais e provincianas. A experiência decisiva do jovem intelectual, adaptado à vida londrina, a quase transformação do brasileiro em europeu refinado (que falava perfeitamente o inglês e havia se casado com uma inglesa) afinaram-lhe paradoxalmente a sensibilidade e abriram-lhe os olhos para, segundo suas próprias palavras em uma entrevista, "ver essas coisas que o brasileiro raramente vê".[3] É assim que ele explica seu profundo interesse pelo Brasil no final de sua temporada europeia, quando começou a ler tudo o que se referia ao país, projetando já suas futuras viagens a lugares muito distantes do centro onde vivia.

Da obra de Antonio Callado, em seu conjunto, transparece um projeto que se poderia chamar de alencariano, na medida em que seus romances tentam sondar os avessos da história brasileira, aproveitando, para tanto, junto com os modelos narrativos europeus (sobretudo do romance francês e do inglês), os brasileiros que tentaram, como Alencar, interpretar o Brasil como uma nação possível, embora ainda em formação. A ficção como tentativa de revelar, conhecer e dar a conhecer nosso país constitui o projeto dos românticos e é, ainda, o projeto de Callado, que, como Gonçalves Dias, Graça Aranha e Oswald de Andrade, redescobre o Brasil. Conforme ele próprio nos conta em vários depoimentos, os seis anos que viveu na Inglaterra foram, em grande parte, responsáveis pelo seu projeto de trabalho (e, de certa forma,

---

[3] Cf. entrevista concedida à autora e publicada em: *Antonio Callado, literatura comentada* (São Paulo: Abril Cultural, 1982. p. 9).

também de vida) na volta. As viagens, as reportagens, o teatro e o romance servem, daí para frente, a um verdadeiro mapeamento do país: do Rio de Janeiro a Congonhas do Campo; desta a Juazeiro da Bahia; da Bahia a Pernambuco; de Olinda e Recife ao Xingu; do Xingu a Corumbá, com algumas escapadas fronteira afora, para o contexto mais amplo da América Latina.

Obcecado pelo deslumbramento da redescoberta do Brasil, seu projeto é fazer um novo retrato do país, o que o aproxima de Alencar, depois da atualização feita por Paulo Prado e Mário de Andrade, e o converte numa espécie de novo "eco de nossos bosques e florestas", designação que Alencar usava para referir-se à poesia de Gonçalves Dias. Não faltam aí nem sequer os motivos da canção do exílio — o sabiá e a palmeira —, retomados conscientemente em *Sempreviva*. Tampouco falta a figura central do Romanismo — o índio —, que aparece em *Quarup* e reaparece em *A expedição Montaigne* e em *Concerto carioca*. E, nessa viagem pelos trópicos, vamos recompondo diferentes Brasis, pelo cheiro e pela cor, pelos sons característicos, pela fauna e pela flora.

Mesmo nos livros posteriores a *Quarup*, nos quais se pode ler um grande ceticismo em relação aos destinos do Brasil, permanece o deslumbramento pela exuberância da nossa natureza e as potencialidades criadoras do nosso povo mestiço. Vista em bloco, a obra ficcional de Antonio Callado é uma espécie de reiterada "canção de exílio", ainda que às vezes pelo avesso, como em *Sempreviva*, em que o herói, Vasco ou Quinho — o "Involuntário da Pátria" —, é um exilado em terra própria. O localismo ostensivo, que ainda amarra esse escritor às origens do romance brasileiro, de uma literatura e de um país em busca da própria identidade (e até mesmo a certo regionalismo, nos primeiros romances), tem sua contrapartida universalizante, desde *Assunção de Salviano*, transcendendo fronteiras e alcançando "os grandes problemas da vida e da morte, da pureza e da corrupção, da incredulidade e da fé", como já assinalava Tristão de Athayde, seu primeiro crítico. Aliás, do mergulho no local e no histórico é que resulta a concretização desses temas universais. Assim, pelo confronto das classes sociais em luta no Nordeste, chega-se à temática mais geral da exploração do homem pelo homem e das centelhas de revolta que periodicamente acendem fogueiras entre os dominados. Pela história individual do padre Nando, tematiza-se a situação geral da Igreja, dos padres e do intelectual que se debatem entre dois mundos. Pela sondagem da consciência de torturadores brasileiros, chega-se a esboçar uma espécie de tratado da maldade, que nos faz vislumbrar os abismos de todos nós.

O contato do jornalista-viajante com nossas misérias e nossas grandezas sensibiliza-o cada vez mais para a "dureza da vida concreta do povo espoliado",[4] que, presente em suas reportagens sobre o Nordeste e na luta dos camponeses pela terra e pelo pão, reaparece em seus romances. Em alguns deles, esse povo não é mais do que uma sombra, cada vez mais distante do intelectual revolucionário e do escritor, angustiado justamente com sua

---

[4] Cf. Arrigucci Jr., Davi. *Achados e perdidos*: ensaios de crítica. São Paulo: Polis, 1979. p. 64.

ausência sistemática do cenário político e das decisões capitais da nossa história.

O tratamento do nordestino pobre (em *Quarup* e *Assunção de Salviano*) ou de um pequeno comerciante de uma provinciana cidade de Minas Gerais (*A madona de cedro*) parece aproximar o escritor daqueles autores românticos que, como o polêmico Franklin Távora, defendiam o deslocamento da nossa literatura do centro litorâneo e urbano para regiões mais afastadas e subdesenvolvidas. Contudo, em Callado, isso não se manifesta como opção unilateral, mas como evidência da tensão. O caminho da reportagem à ficção feito pelo autor de *Quarup* pode ser comparado ao caminho da visão externa à do drama de Canudos, percorrido por Euclides da Cunha em sua grande obra dilacerada e trágica: *Os sertões*. Da mesma forma aqui, guardadas as diferenças, o esforço do intelectual, formado nos centros mais avançados, para entender o universo cultural do Brasil subdesenvolvido acaba sendo simultaneamente um esforço para indagar das raízes de sua própria ambiguidade como intelectual refinado em terra de "bárbaros".

No caso da abordagem do índio, a trajetória do padre Nando e de *Quarup* são exemplares como a conversão euclidiana. Documenta-se aí a passagem do interesse livresco e do enfoque romântico, que o levam, no início, a idealizar o Xingu como um paraíso terrestre, à vivência dos problemas reais do índio, contaminado pelo branco e em processo de extinção. Nando termina chegando a um indianismo novo, em que o índio é tratado sem nenhuma idealização.

Mas Callado não só revela a miséria do índio. Aponta também, a partir de uma vida mais próxima à natureza, para valores que poderiam resgatar as perdas da civilização corrupta. Desencanto e utopia, eis aí uma contradição dialética, evidente em *Quarup*, e uma constante nos livros do escritor, nos quais a repressão, a tortura, a dominação e a morte aparecem sempre contrapostas à imagem da vitalidade, do amor e da liberdade, simbolizados geralmente por elementos naturais: a água, as orquídeas, o sol, que travam uma luta circular com a noite, os subterrâneos e as catacumbas.

É a dimensão mítica e transcendente que faz Salviano ascender aos céus (ao menos na boca do povo), em *Assunção de Salviano*; é ela que faz Delfino recuperar a calma e o amor depois da penitência, em *A madona de cedro*; é ela que permite, apesar de todas as prisões, as desaparições e as mortes com que a ditadura de 1964 reprimiu os revolucionários, que, no final de *Quarup*, Nando e Manuel Tropeiro partam para o sertão em busca da guerrilha, e que o já debilitado Quinho, de *Sempreviva*, ao morrer, uma vez cumprida sua vingança, se reencontre com Lucinda, a namorada morta dez anos antes nos porões do DOI-Codi.[5] Retomada na figura de Jupira e de Herinha, ambas também parentas da terra e das águas, Lucinda é uma espécie de símbolo dos "nervos rotos", mas ainda vivos da América Latina (alusão à epígrafe de *Sempreviva*, tirada de um poema de César Vallejo).

Essa ambivalência acha-se no próprio título do romance de 1967. O quarup é uma festa por meio da qual, ritualmente, os índios revivem o tempo sagrado da criação. Em meio a danças, lutas e um grande banquete, os mortos regressam à vida, encarnados em troncos de madeira (kuarup ou qua-

---

[5] Organização repressiva paramilitar da ditadura.

rup) que, ao final, são lançados na água. O ritual fortalece e renova a tribo, que tira dele novo alento, transformando a morte em vida.

Bar Don Juan, *Reflexos do baile* e *Sempreviva* retomam as andanças do padre Nando tentando retratar os diferentes Brasis (das guerrilhas, dos sequestros, do submundo de torturadores e torturados). O que sempre se busca são alternativas para "o atoleiro em que o Brasil se meteu", mesmo que, cada vez mais, de forma desesperançada, com a ironia minando a epopeia e desvelando machadianamente o quixotesco das utopias alencarianas. E essa busca se amplia no confronto passado-presente, interior-centro, no caso do desconcertante *Concerto carioca*. Ou, finalmente, quando se estende à América Latina, com seus eternos problemas, incluindo a terrível integração perversa que ocorreu com a "Operação Condor", nos anos 1970 (como aparece em *Sempreviva*) e, cem anos antes, com a "Tríplice Aliança" (rememorada obsessivamente por Facundo, personagem central em *Memórias de Aldenham House*).

A ironia existente já em *Assunção de Salviano* e *A madona de cedro* — ainda comedida e, portanto, mínima — vai crescendo a partir de *Quarup*, até explodir na sátira de *A expedição Montaigne*, que parece encerrar o ciclo antes referido.

Nesse romance, um jornalista, de nome Vicentino Beirão, arrasta consigo pouco mais de uma dúzia de índios (já aculturados, mas fingindo selvageria para corresponder ao gosto desse chefe meio maluco) e Ipavu, índio camaiurá, tuberculoso, recém-saído do reformatório de Crenaque, em Resplendor, Minas Gerais. O objetivo da insólita expedição, que tem como mascote um busto do filósofo Montaigne (um dos principais criadores da imagem do bom selvagem na Europa), é "levantar em guerra de guerrilha as tribos indígenas contra os brancos que se apossaram do território" desde a chegada de Cabral, que é descrita como um verdadeiro estupro da terra de Iracema.

Depois de várias peripécias e de sucessivas perdas no labirinto de enganosos rios, conseguem chegar à aldeia camaiurá, levados pelo rio Tuatuari. A longa viagem, na verdade, conduz à morte. Vicentino Beirão, febril e semidesfalecido, é empurrado por Ipavu para dentro da gaiola do seu gavião Uiruçu, companheiro de infância com quem foge logo a seguir. O pajé Ieropé, já velho e desmoralizado, incapaz de curar os doentes desde que os remédios brancos foram introduzidos na aldeia, tendo saído de sua cabana pouco depois da fuga de Ipavu, e vendo o jornalista enjaulado, vislumbra aí a possibilidade de recuperar o seu prestígio de mediador entre os homens e os deuses, "recosturando o céu e a terra" e trazendo de volta o tempo em que suas ervas e fumaças eram eficazes. Porque, para ele, Vicentino Beirão é Karl von den Steinen renascido. Trata-se do antropólogo alemão que fez a primeira expedição ao Xingu em 1884, aqui chamado de Fodestaine.

Enquanto isso, a tuberculose, que estivera corroendo as forças de Ipavu durante toda a travessia, completa sua obra e o indiozinho também morre, reintegrando-se na cultura indígena por meio de um ritual fúnebre: a canoa que se afasta com seu corpo, rio afora, conduzida pelo gavião de penacho.

Como na maior parte dos romances de Callado, o desenlace é insólito e nos agrada na medida em que surpreende. No entanto, o grande prazer da leitura está em seguir o desenrolar da história, o contraponto das perspectivas alternadas, a escrita que nos empolga e nos faz ler tudo de um fôlego só, provocando ao mesmo tempo a expectativa do romance policial, o riso da comédia, a piedade e o terror da tragédia.

Anti-herói paródico, Vicentino Brandão é Nando, Quinho e tantos heroicos revolucionários dos romances anteriores. A dimensão utópica desaparece, persistindo somente de forma negativa, na amargura de um mundo fora dos eixos: nossa tragicomédia exposta.

A vertente machadiana, cética e irônica, que combinava tão bem com o lado Alencar de Callado (aparecendo em outros romances só quando o narrador se distanciava para olhar exaustivamente e sem piedade a miséria dos heróis e a pobreza das utopias em seus mundos infernais), agora ganha o primeiro plano, intensificando a caricatura.

A expedição Montaigne parece resumir um ciclo de modo tal que, depois dela, é como se Callado trabalhasse com resíduos. Ainda apegado ao tema do índio — tema pelo qual ele reconhece um interesse do avô, que também gostava de tratar desse assunto —, o escritor volta a ele em seu penúltimo romance — *Concerto carioca* —, mas, dessa vez, caracterizado por uma problemática histórico-social mais ampla.

A tentativa de *Concerto carioca* é, como o próprio nome aponta, a de concentrar em um cenário urbano a ficção previamente desenhada pela viagem aos confins do Brasil. Entretanto, até isso é ambíguo, já que o Jardim Botânico, onde transcorre a maior parte da ação, é uma espécie de minifloresta que enquadra e anima de modo mítico, com suas árvores e riachos, a figura de Jaci, o indiozinho (agora citadino) vítima de Xavier, o assassino um tanto psicopata, no qual poderíamos ler o símbolo tanto dos colonizadores de ontem quanto dos depredadores da vida e da natureza de hoje, de dentro e de fora da América Latina, tornando a exterminar os índios, agora transplantados para a cidade. Ettore Finazzi Agrò[6] leu *Concerto carioca* como um concerto desafinado, um conjunto de sequências inconsequentes e de pessoas fora do lugar, umbral, paralisia e atoleiro, em um presente que arrasta o passado, feito de falta e remorso, em analogia com o ritmo desafinado da nossa existência descompassada. O mesmo atoleiro que nos obriga a arrancarnos da lama pelos próprios cabelos, tarefa hercúlea que o próprio Callado sempre invocava, aludindo a sério aos contos do célebre barão de Münchhausen.[7]

Nesse livro, ainda bebendo nas fontes de sua própria vida (a infância passada no Jardim Botânico e o descobrimento do índio pelo menino, aprofundado anos depois pelo repórter adulto), o escritor retoma também outro tema que lhe é familiar: a temível potencialidade das pessoas. Segundo seu próprio depoimento, isso se confunde com a tarefa do romance, que é levar a pessoa ao extremo daquilo que poderia ser: "Então, você pode acreditar em uma prostituta que é quase uma santa no final do livro, como em um santo que

---

[6] Cf. Nos limiares do tempo. A imagem do Brasil em *Concerto carioca*. In: Chiappini, Ligia; Dimas, Antonio; Zilly, Berthold (Org.). *Brasil, país do passado?*. São Paulo: Edusp/Boitempo, 2010.
[7] Personagem de *As aventuras do celebérrimo barão de Münchhausen*, escrito pelo alemão Gottfried August Bürger em 1786 e publicado no Brasil com tradução de Carlos Jansen (Rio de Janeiro: Laemmert, 1851). A análise da tensão temporal em *Concerto carioca*, no livro citado na nota 1, segue de perto a leitura de Finazzi Agrò (2000, p. 137).

resulta em um canalha da pior categoria."[8] Ao longo de toda a obra, essa dimensão, que poderíamos chamar da "pesquisa do mal no homem, na mulher, na sociedade", aparece nos momentos em que os demônios se soltam.

Concerto carioca opta por se introduzir nas vertentes pessoais da maldade e toma partido, decisivamente, pelo mito, deixando, dessa vez, a história como um distante pano de fundo. Ao debilitar-se o plano histórico e social, rompe-se aquele equilíbrio entre o particular e o geral, o contingente e o transcendente, que permitiu a *Quarup* perdurar. O resultado, embora reúna acertos e achados, é um romance no qual o próprio narrador (personificado em um menino) parece perceber um equívoco: o de destacar como herói quem deveria ser um vilão secundário e diminuir a figura central do indiozinho, tornada paradoxalmente mais abstrata.

Em todo caso, isso talvez seja mesmo o remate de um ciclo e o começo de outro, de um livro ambíguo que traz o novo latente. Finalmente, Callado chega de volta onde começou, redescobrindo o país e a si mesmo no confronto com seus irmãos latino-americanos e nossos meios-pais europeus, a partir da experiência da viagem, da vivência de guerras externas e internas e das prisões em velhas e novas ditaduras. Londres durante a guerra e o ambiente da BBC são aí tematizados, lançando mão novamente de um recurso que sempre foi efetivo em suas obras: os mecanismos de surpresa e suspense dos romances policiais e de espionagem. Aqui vai mais longe, pois tenta compreender

---

[8] Entrevista concedida à autora e publicada em *Antonio Callado, literatura comentada* (São Paulo: Abril, 1982. p. 9).

o Brasil tentando entendê-lo na América do Sul, e esta, em suas tensas relações com a Europa.

A história é narrada do ponto de vista de um jornalista brasileiro que vai para Londres, fugindo à ditadura de Getúlio Vargas, na década de 1940, e lá encontra outros companheiros latino-americanos, uma chileno-irlandesa, um paraguaio, um boliviano e um venezuelano. Estes, por sua vez, fugiram do arbítrio da polícia política em seus respectivos países. O confronto deles entre si e de todos juntos com os ingleses, no dia a dia de uma agência da BBC especialmente voltada para a América Latina, acaba denunciando tanto os bárbaros crimes latino-americanos do passado e do presente quanto o envolvimento das nossas elites com os criminosos de colarinho branco da supercivilizada Inglaterra. Não apenas denuncia, mas também expõe parodicamente os preconceitos e estereótipos dos ingleses sobre os latino-americanos e vice-versa.

Vinte anos depois dos sucessos de *Memórias de Aldenham House*, que se prolongam num Paraguai e num Brasil só aparentemente democratizados, o narrador (ex-representante brasileiro na BBC, como fora o próprio Callado) escreve suas memórias, novamente na prisão. Nesse caso, ampliando o ciclo, o território e a viagem, circulamos pela Inglaterra e França para chegar ao Paraguai, passando pela prisão ditatorial em que o narrador escreve sua história, uma história de outras ditaduras e de perseguições a líderes de esquerda menos ou mais desesperados, menos ou mais vitimizados, mas igualmente vencidos pela prepotência do autoritarismo tradicional na América Latina.

Callado rememora aí sua experiência de duas ditaduras e de duas pós-ditaduras; a experiência dos exilados que se foram e dos que voltaram para contar, tentando recuperar a face oculta da civilizada Inglaterra, que Facundo acusa e que talvez esteja muito mais próxima do Paraguai e, por que não, do Brasil, ou pelo menos de certo Brasil: aquele tanto mais visível quanto mais se encena a sua entrada plena na modernidade pós-moderna.

PERFIL DO AUTOR

O SENHOR DAS LETRAS

Eric Nepomuceno
Escritor

Antonio Callado era conhecido, entre tantas outras coisas, pela sua elegância. Nelson Rodrigues dizia que ele era "o único inglês da vida real". Além da elegância, Callado também era conhecido pelo seu humor ágil, fino e certeiro. Sabia escolher os vinhos com severa paixão e agradecer as bondades de uma mesa generosa. E dos pistaches, claro. Afinal, haverá neste mundo alguém capaz de ignorar as qualidades essenciais de um pistache?

Pois Callado sabia disso tudo e de muito mais.

Tinha as longas caminhadas pela praia do Leblon. Ele, sempre tão elegante, nos dias mais tórridos enfrentava o sol com um chapeuzinho branco na cabeça, e eram três, quatro quilômetros numa caminhada puxada: estava escrevendo. Caminhava falando consigo mesmo: caminhava escrevendo. Vivendo. Porque Callado foi desses escritores que escreviam o que tinham vivido, ou dos que vivem o que vão escrever algum dia.

Era um homem de fala mansa, suave, firme. Só se alterava quando falava das mazelas do Brasil e dos vazios do mundo daquele fim de século passado. Indignava-se contra a injustiça, a miséria, os abismos sociais que faziam — e em boa medida ainda fazem — do Brasil um país de desiguais. Suas opiniões, nesse tema, eram de suave mas certeira e efetiva contundência. E mais: Callado dizia o que pensava, e o que pensava era sempre muito bem sedimentado. Eram palavras de uma lucidez cristalina.

Dizia que, ao longo do tempo, sua maneira de ver o mundo e a vida teve muitas mudanças, mas algumas — as essenciais — permaneceram intactas. "Sou e sempre fui um homem de esquerda", dizia ele. "Nunca me filiei a nenhum partido, a nenhuma organização, mas sempre soube qual era o meu rumo, o meu caminho." Permaneceu, até o fim, fiel, absolutamente fiel, ao seu pensamento. "Sempre fui um homem que crê no socialismo", assegurava ele.

Morava com Ana Arruda no apartamento de cobertura de um prédio baixo e discreto de uma rua tranquila do Leblon. O apartamento tinha dois andares. No de cima, um terraço mostrava o morro Dois Irmãos, a Pedra da Gávea e o mar que se estende do Leblon até o Arpoador. Da janela do quarto que ele usava como estúdio, aparecia esse mesmo mar, com toda a sua beleza intocável e sem fim.

O apartamento tinha móveis de um conforto antigo. Deixava nos visitantes a sensação de que Callado e Ana viviam desde sempre escudados numa atmosfera cálida. Havia um belo retrato dele pintado por seu amigo Cândido Portinari, de quem Callado havia escrito uma biografia. Aliás, escrita enquanto Portinari pintava seu retrato. Uma curiosa troca de impressões entre os dois, cada um usando suas ferramentas de trabalho para descrever o outro.

Havia também, no apartamento, dois grandes e bons óleos pintados por outro amigo, Carlos Scliar.

Callado sempre manteve uma rígida e prudente distância dos computadores. Escrevia em sua máquina Erika, alemã e robusta, até o dia em que ela não deu mais. Foi substituída por uma Olivetti, que usou até o fim da vida.

Na verdade, ele começava seus livros escrevendo à mão. Dizia que a literatura, para ele, estava muito ligada ao rascunho. Ou seja, ao texto lentamente trabalhado, o papel diante dos olhos, as correções que se sucediam. Só quando o texto adquiria certa consistência ele ia para a máquina de escrever.

Jamais falava do que estava escrevendo quando trabalhava num livro novo. A alguns amigos, soltava migalhas da história, poeira de informação. Dizia que um escritor está sempre trabalhando num livro, mesmo quando não está escrevendo. E, quando termina um livro, já tem outro na cabeça, mesmo que não perceba.

Era um escritor consagrado, um senhor das letras. Mas ainda assim carregava a dúvida de não ter feito o livro que queria. "A gente sente, quando está no começo da carreira, que algum dia fará um grande livro. O grande livro. Depois, acha que não conseguiu ainda, mas que está chegando perto. E, mais tarde, chega-se a uma altura em que até mesmo essa sensação começa a fraquejar...", dizia com certa névoa encobrindo seu rosto.

Levou essa dúvida até o fim — apesar de ter escrito grandes livros.

Foi também um jornalista especialmente ativo e rigoroso. Escrevia com os dez dedos, como corresponde aos profissionais de velha e boa cepa. E foi como jornalista que ele girou o mundo e fez de tudo um pouco, de correspondente de guerra na BBC britânica a testemunha do surgimento do Parque Nacional do Xingu, passando pela experiência definitiva de ter sido o único jornalista brasileiro, e um dos poucos, pouquíssimos ocidentais a entrar no então Vietnã do Norte em plena guerra desatada pelos Estados Unidos.

A carreira de jornalista ocupou a vaga que deveria ter sido de advogado. Diploma em direito, Callado tinha. Mas nunca exerceu o ofício. Começou a escrever em jornal em 1937 e enfrentou o dia a dia das redações até 1969. Soube estar, ou soube ser abençoado pela estrela da sorte: esteve sempre no lugar certo e na hora certa. Em 1948, por exemplo, estava cobrindo a 9ª Conferência Pan-americana em Bogotá quando explodiu a mais formidável rebelião popular ocorrida até então na Colômbia e uma das mais decisivas para a história contemporânea da América Latina, o Bogotazo. Tão formidável que marcou para sempre a vida de um jovem estudante de direito que tinha ido de Havana, um grandalhão chamado Fidel Castro, e que também acompanhou tudo aquilo de perto.

Houve um dia, em 1969, em que ele escreveu ao então diretor do *Jornal do Brasil* uma carta de demissão. Havia um motivo, alheio à vontade dos dois: a ditadura dos generais havia decidido cassar os direitos políticos de Antonio Callado pelo período de dez anos e explicitamente proibia que ele exercesse o ofício que desde 1937 garantia seu sustento. Foi preciso esperar até 1993 para voltar ao jornalismo, já não mais como repórter ou redator, mas como um articulista de texto refinado e com visão certeira das coisas.

Até o fim, Callado manteve, reforçada, sua perplexidade com os rumos do Brasil, com as mazelas da injustiça social. E até o fim abandonou qualquer otimismo e manteve acesa sua ira mais solene.

Sonhou ver uma reforma agrária que não aconteceu, sonhou com um dia não ver mais os milhões de brasileiros abandonados à própria sorte e à própria miséria. Era imensa sua indignação diante do Brasil ameaçado, espoliado, dizimado, um país injusto e que muitas vezes parecia, para ele, sem remédio. Às vezes dizia, com amargura, que duvidava que algum dia o Brasil deixaria de ser um país de segunda para se tornar um país de primeira. E o que faria essa diferença? "A educação", assegurava. "A escola. A formação de uma consciência, de uma noção de ter direito. Trabalho, emprego, justiça. Ou seja: o básico. Uma espécie de decência nacional. Porque já não é mais possível continuar convivendo com essa injustiça social, com esse egoísmo".

Sua capacidade de se indignar com aquele Brasil permaneceu intocada até o fim. Tinha, quando falava do que via, um brilho especial, uma espécie de luz que é própria dos que não se resignam.

Desde aquele 1997 em que Antonio Callado foi-se embora para sempre, muita coisa mudou neste país. Mas quem conheceu aquele homem elegante e indignado, que mereceu de Hélio Pelegrino a classificação de "um doce radical", sabe que ele continuaria insatisfeito, exigindo mais. Exigindo escolas, empregos, terras para quem não tem. Lutando, à sua maneira e com suas armas, para poder um dia abrir os olhos e ver um país de primeira classe. E tendo dúvidas, apesar de ser o senhor das letras, se algum dia faria, enfim, o livro que queria — e sem perceber que já tinha feito, que já tinha escrito grandes livros, definitivos livros.

Este livro foi impresso nas oficinas da
DISTRIBUIDORA RECORD DE SERVIÇOS DE IMPRENSA S.A.
Rua Argentina, 171 – Rio de Janeiro, RJ
para a EDITORA JOSÉ OLYMPIO LTDA.
em abril de 2014

✽

82º aniversário desta Casa de livros, fundada em 29.11.1931